#홈스쿨링
#혼자 공부하기

똑똑한
하루 한자

똑똑한 하루 한자
시리즈 구성 예비초~4단계

우리 아이 한자 학습 첫걸음

8급

1단계 A, B, C

7급Ⅱ

2단계 A, B, C

7급

3단계 A, B, C

6급Ⅱ

4단계 A, B, C

똑똑한 하루 한자 ♥

4주 완성 스케줄표

3단계 A

⭐ 공부한 날짜를 써 봐!

1주

1일 10~19쪽	2일 20~25쪽	3일 26~31쪽	4일 32~37쪽	5일 38~43쪽	특강
자연 한자 靑 푸를 청 天 하늘 천	자연 한자 平 평평할 평 地 땅 지	자연 한자 山 메 산 川 내 천	자연 한자 海 바다 해 水 물 수	자연 한자 空 빌 공 氣 기운 기	44~51쪽
월 일	월 일	월 일	월 일	월 일	월 일

힘을 내! 넌 최고야!

2주

1일 52~61쪽	2일 62~67쪽	3일 68~73쪽	4일 74~79쪽	5일 80~85쪽	특강
자연 한자 花 꽃 화 草 풀 초	자연 한자 林 수풀 림 木 나무 목	자연 한자 植 심을 식 物 물건 물	자연 한자 自 스스로 자 然 그럴 연	자연 한자 生 날 생 命 목숨 명	86~93쪽
월 일	월 일	월 일	월 일	월 일	월 일

배운 내용은 꼭꼭 복습하기!

3주

1일 94~103쪽	2일 104~109쪽	3일 110~115쪽	4일 116~121쪽	5일 122~127쪽	특강
계절 한자 春 봄 춘 夏 여름 하	계절 한자 秋 가을 추 冬 겨울 동	시간 한자 七 일곱 칠 夕 저녁 석	시간 한자 每 매양 매 月 달 월	시간 한자 來 올 래 日 날 일	128~135쪽
월 일	월 일	월 일	월 일	월 일	월 일

마지막 4주 공부 중. 감동이야!

4주

1일 136~145쪽	2일 146~151쪽	3일 152~157쪽	4일 158~163쪽	5일 164~169쪽	특강
방향 한자 前 앞 전 後 뒤 후	방향 한자 左 왼 좌 右 오른 우	방향 한자 東 동녘 동 西 서녘 서	방향 한자 南 남녘 남 北 북녘 북/달아날 배	방향 한자 四 넉 사 方 모 방	170~177쪽
월 일	월 일	월 일	월 일	월 일	월 일

Chunjae
Makes
Chunjae

▼

똑똑한 하루 한자 3단계 A

편집개발	장미영, 강혜정, 최은혜
디자인총괄	김희정
표지디자인	윤순미
내지디자인	박희춘, 조유정
삽화	이영호, 이예지, 이혜승, 장현아
제작	황성진, 조규영

발행일	2022년 2월 1일 초판 2022년 2월 1일 1쇄
발행인	(주)천재교육
주소	서울시 금천구 가산로9길 54
신고번호	제2001-000018호
고객센터	1577-0902

구성과 활용 방법

한 주 미리보기

미리보기 만화

미리보기 활동

일일 학습

이야기를 읽으며
오늘 배울 한자를 만나요.

QR 코드 속 영상을 보며
한자를 따라 써요.

재미있는 만화로 생활 속 한자어를 익혀요.

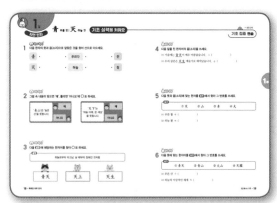

핵심 문제로 기초 실력을 키워요.

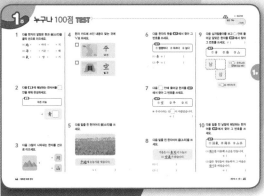

누구나 100점 TEST

문제를 풀며 한 주 동안
배운 내용을 확인해요.

한 주 마무리

특강

창의·융합·코딩 문제로
재미는 솔솔, 사고력은 쑥쑥!

생각을 키워요

부록

한자 카드로 더욱
재미있게 공부해요!

3주

계절/시간 한자

4주

방향 한자

7급 배정 한자 총 150자

♥ ☐은 3단계-A 학습 한자입니다.

ㄱ				
歌	家	間	江	車
노래 가	집 가	사이 간	강 강	수레 거/차
空	工	敎	校	九
빌 공	장인 공	가르칠 교	학교 교	아홉 구
口	國	軍	金	旗
입 구	나라 국	군사 군	쇠 금/성 김	기 기
記	氣	南 (ㄴ)	男	內
기록할 기	기운 기	남녘 남	사내 남	안 내
女	年	農	答 (ㄷ)	大
여자 녀	해 년	농사 농	대답 답	큰 대
道	冬	洞	東	動
길 도	겨울 동	골 동/밝을 통	동녘 동	움직일 동
同	登	來 (ㄹ)	力	老
한가지 동	오를 등	올 래	힘 력	늙을 로
六	里	林	立	萬 (ㅁ)
여섯 륙	마을 리	수풀 림	설 립	일만 만
每	面	命	名	母
매양 매	낯 면	목숨 명	이름 명	어머니 모
木	文	門	問	物
나무 목	글월 문	문 문	물을 문	물건 물

民	ㅂ 方	百	ㅅ 白	父
백성 민	모 방	일백 백	흰 백	아버지 부
夫	北	不	四	事
지아비 부	북녘 북/달아날 배	아닐 불	넉 사	일 사
山	算	三	上	色
메 산	셈 산	석 삼	윗 상	빛 색
生	西	夕	先	姓
날 생	서녘 서	저녁 석	먼저 선	성 성
世	所	小	少	水
인간 세	바 소	작을 소	적을 소	물 수
數	手	時	市	ㅇ 食
셈 수	손 수	때 시	저자 시	밥/먹을 식
植	室	心	十	安
심을 식	집 실	마음 심	열 십	편안 안
語	然	午	五	王
말씀 어	그럴 연	낮 오	다섯 오	임금 왕
外	右	月	有	育
바깥 외	오른 우	달 월	있을 유	기를 육
邑	二	人	日	一
고을 읍	두 이	사람 인	날 일	한 일
入	ㅈ 字	自	子	長
들 입	글자 자	스스로 자	아들 자	긴 장

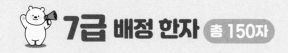

場	電	前	全	正
마당 장	번개 전	앞 전	온전 전	바를 정
弟	祖	足	左	住
아우 제	할아버지 조	발 족	왼 좌	살 주
主	中	重	地	紙
임금/주인 주	가운데 중	무거울 중	땅 지	종이 지
直	川	千	天	靑
곧을 직	내 천	일천 천	하늘 천	푸를 청
草	寸	村	秋	春
풀 초	마디 촌	마을 촌	가을 추	봄 춘
出	七	土	八	便
날 출	일곱 칠	흙 토	여덟 팔	편할 편/똥오줌 변
平	下	夏	學	韓
평평할 평	아래 하	여름 하	배울 학	한국/나라 한
漢	海	兄	花	話
한수/한나라 한	바다 해	형 형	꽃 화	말씀 화
火	活	孝	後	休
불 화	살 활	효도 효	뒤 후	쉴 휴

함께 공부할 친구들

 주 미리보기 에서 만나요!

무엇이든 척척 해결하는
명랑 탐정

놀라운 추리력의 소유자
초롱 탐정

본문 에서 만나요!

씩씩하고 유쾌한 친구
우주

마음이 따뜻하고
똑똑한 친구 **노을**

사랑하는 손녀에게

내가 파란마을에 보물을 세 개 숨겨 놓았단다. 그 마을은 靑天 아래 아름다운 山川이 있는 空氣 맑은 곳이란다. 山川 사이에 빈 초가집이 하나 있는데, 거기에 첫 번째 보물이 있단다. 그리고 초가집 앞 확 트인 平地에서 두 팔을 벌리고 서 있는 허수아비를 찾으렴. 그 밑에 두 번째 보물이 있단다. 그리고 川을 따라 강물과 海水가 만나는 곳에 이르면 아주 큰 돌이 있단다. 그 밑에 세 번째 보물이 있어.

어서 보물찾기 여행을 떠나 보렴.

할아버지가

1일 **靑** 푸를 청 | **天** 하늘 천   **2**일 **平** 평평할 평 | **地** 땅 지   **3**일 **山** 메 산 | **川** 내 천

4일 **海** 바다 해 | **水** 물 수   **5**일 **空** 빌 공 | **氣** 기운 기

1주

> 보물을 찾으려면 파란마을의 자연환경을 알아야 하는군요. 그러려면 자연과 관련된 한자를 배워야 해요. 그럼 같이 풀어 볼까요?

靑 天 平 地 山 川 海 水 空 氣

사랑하는 손녀에게

내가 파란마을에 보물을 세 개 숨겨 놓았단다. 그 마을은 청천 아래 아름다운 산천이 있는 공기 맑은 곳이란다. 산천 사이에 빈 초가집이 하나 있는데, 거기에 첫 번째 보물이 있단다. 그리고 초가집 앞 확 트인 평지에서 두 팔을 벌리고 서 있는 허수아비를 찾으렴. 그 밑에 두 번째 보물이 있단다. 그리고 천을 따라 강물과 해수가 만나는 곳에 이르면 아주 큰 돌이 있단다. 그 밑에 세 번째 보물이 있어.

어서 보물찾기 여행을 떠나 보렴.

할아버지가

> 아! 이제 보물을 찾을 수 있겠어요.

탐정 사무소

> 좋아요! 지금 당장 보물을 찾으러 그곳으로 함께 가 봅시다!

> 저기요, 보물은 제가 혼자 찾아도 되는데요……

> 에구, 넌 밀린 수학 문제나 마저 풀어.

> 이건 나중에 하면 안 될까? 하하……

⭐ 이번 주에 배울 한자들이 그림 속에 숨어 있어요. 보기 를 참고해서 한자를 찾아 〇표 하고, 🔘에 해당 한자의 음(소리)을 쓰세요. 그리고 숨겨진 보물을 찾아 ☆표 하세요.

보기

| 靑 푸를 청 | 天 하늘 천 | 平 평평할 평 | 地 땅 지 | 山 메 산 |
| 川 내 천 | 海 바다 해 | 水 물 수 | 空 빌 공 | 氣 기운 기 |

空 氣

地

海

平

靑 天

푸를 청 　 하늘 천

🔍 다음 글을 읽고, 오늘 배울 한자를 확인해 보세요.

푸른[靑] 언덕 위에 누워 하늘[天]을 올려다봅니다.

파란[靑] 하늘[天]에 구름이 두둥실 떠다닙니다.

양떼구름, 강아지 구름, 고래 구름, 아기 천(天)사 구름……

재미있는 모양의 구름들 천(天)지네요.

구름을 하나둘씩 세다 보면

어느새 스르륵 눈이 감깁니다.

오늘 배울 한자

靑 天

푸를 청 　 하늘 천

푸를 청

우물과 초목처럼 맑고 푸름을 나타내는 글자로, 푸르다를 뜻해요.

QR을 보며 따라 써요!

靑	靑	靑	靑	靑	靑
푸를 청	푸를 청	푸를 청	푸를 청	푸를 청	푸를 청

하늘 천

사람 머리 위의 높고 넓은 곳을 가리키는 글자로, 하늘을 뜻해요.

QR을 보며 따라 써요!

天	天	天	天	天	天
하늘 천	하늘 천	하늘 천	하늘 천	하늘 천	하늘 천

青 푸를 청 | 天 하늘 천

한자어를 익혀요

푸른 하늘, 푸른 산과 들판, 푸른 강물……

주변이 온통 청색(靑色)이네.

이곳은 정말 아름다운 곳이구나.

천국(天國)에 온 것 같아.

에헴! 내가 추천한 곳이야. 내가 정말 잘 골랐지?

그래, 그래! 잘했어!

청산(靑山)에 누워 청천(靑天)을 바라보니 평온하고 행복한 기분이 들어.

정말 근사해.

이렇게 좋은 곳을 찾아내다니 난 정말 대단하다니까. 천하(天下)에 나처럼 잘난 사람이 있을까? 하하!

우주의 저 잘난 척은 천생(天生)인 거 같아.

🔍 '靑(푸를 청)'과 '天(하늘 천)'이 들어간 한자어를 알아봅시다.

 푸를 청

 하늘 천

청색(靑色)

	色
푸를 청	빛 색

뜻 푸른 색

천국(天國)

	國
하늘 천	나라 국

뜻 하늘의 이상적인 세계

청산(靑山)

	山
푸를 청	메 산

뜻 푸른 산

천하(天下)

	下
하늘 천	아래 하

뜻 하늘 아래. 온 세상

청천(靑天)

	天
푸를 청	하늘 천

뜻 푸른 하늘

천생(天生)

	生
하늘 천	날 생

뜻 하늘로부터 타고남.
날 때부터 정해진 것처럼

1주

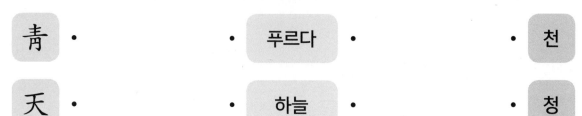
🐹 한자 확인

1 다음 한자의 뜻과 음(소리)으로 알맞은 것을 찾아 선으로 이으세요.

青 ·　　　· 푸르다 ·　　　· 천

天 ·　　　· 하늘 ·　　　· 청

🐻 어휘 확인

2 그림 속 내용이 맞으면 '예', 틀리면 '아니요'에 ○표 하세요.

'青山'은 '높은 산'을 뜻합니다.

예 / 아니요

'天下'는 '하늘 아래. 온 세상'을 뜻합니다.

예 / 아니요

🐻 어휘 확인

3 다음 설명 에 해당하는 한자어를 찾아 ○표 하세요.

> **설명**
>
> 하늘로부터 타고남. 날 때부터 정해진 것처럼

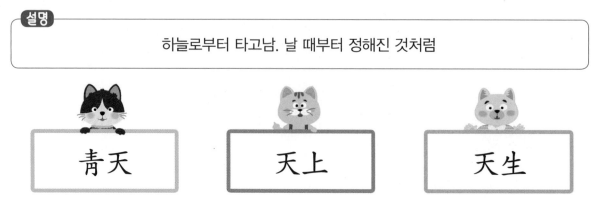

青天　　　天上　　　天生

급수 유형

4 다음 밑줄 친 한자어의 음(소리)을 쓰세요.

(1) 가을에는 <u>靑天</u>이 매우 아름답습니다. → (　　　　　　)

(2) 우리 삼촌은 <u>天生</u> 예술가로 태어났습니다. → (　　　　　　)

급수 유형

5 다음 뜻과 음(소리)에 맞는 한자를 보기 에서 찾아 그 번호를 쓰세요.

보기
　　　　① 天　　　② 山　　　③ 靑　　　④ 大

(1) 푸를 청 → (　　　　　　)

(2) 하늘 천 → (　　　　　　)

급수 유형

6 다음 뜻에 맞는 한자어를 보기 에서 찾아 그 번호를 쓰세요.

보기
　　　① 靑天　　　② 靑山　　　③ 火山　　　④ 天國

(1) 푸른 산 → (　　　　　　)

(2) 하늘의 이상적인 세계 → (　　　　　　)

平 地

평평할 평   땅 지

🔍 다음 글을 읽고, 오늘 배울 한자를 확인해 보세요.

봄비가 땅[地]을 촉촉하게 적십니다.

비가 그치면 꽃씨를 심어야겠어요.

땅[地]을 평평(平平)하게 다진 후

씨앗을 심고 설레는 마음으로 기다려 봐요.

새싹이 쑥 돋아나고 곧 무럭무럭 자라서 예쁜 꽃이 활짝 피겠죠.

천지(地)가 꽃으로 가득했으면 좋겠어요.

오늘 배울 한자

平 地

평평할 평   땅 지

평평할 평

저울의 모양을 본뜬 글자예요. 저울이 균형을 이루고 있는 모습에서 **평평하다, 공평하다**를 뜻해요.

QR을 보며 따라 써요!

平	平	平	平	平	平
평평할 평	평평할 평	평평할 평	평평할 평	평평할 평	평평할 평

1주

땅 지

뱀이 기어가듯 구불구불 이어진 땅이라는 데서, 땅을 뜻해요.

QR을 보며 따라 써요!

地	地	地	地	地	地
땅 지	땅 지	땅 지	땅 지	땅 지	땅 지

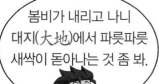

봄비가 내리고 나니 대지(大地)에서 파룻파룻 새싹이 돋아나는 것 좀 봐.

천지(天地)가 봄기운으로 가득하구나.

파룻
파룻

얘들아, 우리 이곳에 꽃씨를 심자! 이곳이 예쁜 꽃들로 만발하면 얼마나 근사하겠니?

그래, 좋아!

우리 모두 평일(平日)은 바쁘니, 주말에 모여서 하자!

그럼 토요일에 모이자.

세 구역으로 나누어서 각자 심고 싶은 꽃을 심자.

그럼 난 저기 평평(平平)한 곳에 심을래. 땅을 일구지 않아도 되니 편하겠어. 흐흐.

그런 게 어디 있어? 혼자 평지(平地)를 차지하다니!

내가 먼저 맡은 거잖아!

얘들아, 잠깐! 공평하게 가위바위보로!

화르르륵

그, 그래! 그러자.

이제 불만 없지? 우리 모두 마음의 평안(平安)을 찾고!

방긋

노을이 무서워······.

'平(평평할 평)'과 '地(땅 지)'가 들어간 한자어를 알아봅시다.

 平 평평할 평

 地 땅 지

평일(平日)

日	
평평할 평	날 일

뜻 토요일, 일요일, 공휴일이 아닌 보통의 날

대지(大地)

大	
큰 대	땅 지

뜻 대자연의 넓고 큰 땅

평평(平平)

平	
평평할 평	평평할 평

뜻 바닥이 고르고 판판함.

천지(天地)

天	
하늘 천	땅 지

뜻 하늘과 땅

평안(平安)

安	
평평할 평	편안 안

뜻 걱정이나 탈이 없음.

평지(平地)

平	
평평할 평	땅 지

뜻 평평한 땅

1주

1 한자 확인

다음 한자 카드의 ☐ 안에 들어갈 한자나 한자의 뜻과 음(소리)을 쓰세요.

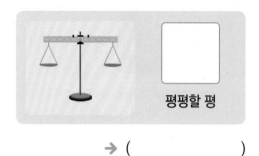

→ (   )

→ (   )

2 어휘 확인

◯에 알맞은 글자를 넣어 낱말을 만드세요.

걱정이나 탈이 없음. ▷ ◯안

평평한 땅 ▷ 평◯

3 어휘 확인

다음에서 '평일(平日)'의 뜻을 바르게 설명한 것을 찾아 ◯표 하세요.

햇빛이 곧게 뻗어 따뜻한 곳

평온하고 화목한 날

토요일, 일요일, 공휴일이 아닌 보통의 날

기초 집중 연습

급수 유형

4 다음 밑줄 친 한자어의 음(소리)을 쓰세요.

(1) <u>平平</u>한 곳에 자리를 잡고 앉았습니다. → (   )

(2) 흰 눈이 온 <u>天地</u>를 뒤덮었습니다. → (   )

1주

급수 유형

5 보기 와 같이 다음 한자의 뜻과 음(소리)을 쓰세요

보기
青 → 푸를 청

(1) 平 → (   )

(2) 地 → (   )

급수 유형

6 다음 한자의 상대 또는 반대되는 한자를 보기 에서 찾아 그 번호를 쓰세요.

보기
① 青   ② 天   ③ 平   ④ 土

● 地 ↔ (   )

山 川

메 산 　　　 내 천

🔍 다음 글을 읽고, 오늘 배울 한자를 확인해 보세요.

햇살마을에 아름답기로 소문난 산(山)이 있어요.

오늘 가족들과 그 산(山)에 올라갔어요.

산(山)에 오르면서 신기하고 재미있는 식물과 동물을

구경할 수 있었어요.

그리고 산(山)속에 있는 작은 천(川)에서

물놀이도 하며 재미있게 놀았어요.

오늘 배울 한자

山 川

메 산 　　 내 천

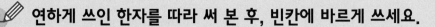

메 산

[산봉우리가 뾰족뾰족하게 이어진 모습을 본뜬 글자로, **산**을 뜻해요.

QR을 보며 따라 써요!

山	山	山	山	山	山
메 산	메 산	메 산	메 산	메 산	메 산

1주

내 천

[냇물이 구불구불 흘러가는 모양을 본뜬 글자로, **냇물**을 뜻해요.

QR을 보며 따라 써요!

川	川	川	川	川	川
내 천	내 천	내 천	내 천	내 천	내 천

山 메 산 | 川 내 천

한자어를 익혀요

우리나라는 강산(江山)이 정말 아름다운 것 같아요.

저곳이 이 지역의 명산(名山)이구나.

와, 멋지다. 웅장한걸.

어서 입산(入山)하자.

출발!

산속에 소천(小川)이 흐르네.

발을 담그면 시원하겠다.

졸 졸 졸

하산 후

소천이 모여 대천(大川)이 되었네.

이곳은 산천(山川)이 참 조화롭구나.

와, 천이 맑아서 물속에 물고기가 다 보여.

촤 아

어, 저 재미있게 생긴 물고기는 노을이 널 똑 닮았는데?

뭐라고?

하하!

🔍 '山(메 산)'과 '川(내 천)'이 들어간 한자어를 알아봅시다.

 메 산

 내 천

강산(江山)

江	
강 강	메 산

뜻 강과 산. 자연의 경치

소천(小川)

小	
작을 소	내 천

뜻 자그마한 내. 작은 개천

명산(名山)

名	
이름 명	메 산

뜻 이름난 산

대천(大川)

大	
큰 대	내 천

뜻 큰 내. 이름난 내

입산(入山)

入	
들 입	메 산

뜻 산속에 들어감.

산천(山川)

山	
메 산	내 천

뜻 산과 내. 자연

3일

자연 한자

山 메 산 | 川 내 천

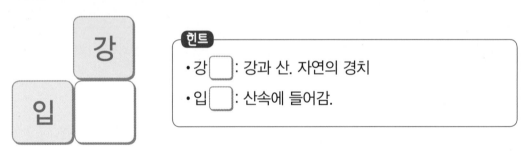

기초 실력을 키워요

한자 확인

1 다음 한자의 뜻과 음(소리)으로 알맞은 것을 찾아 ○표 하세요.

山

땅 지　　메 산

川

내 천　　물 수

어휘 확인

2 힌트를 보고 다음 빈칸에 들어갈 알맞은 글자를 써넣으세요.

강

입

힌트
- 강 ☐ : 강과 산. 자연의 경치
- 입 ☐ : 산속에 들어감.

어휘 확인

3 다음 문장의 내용이 맞으면 '예', 틀리면 '아니요'에 ○표 하세요.

'山川(산천)'은 '산과 내. 자연'을 뜻합니다.

예　　아니요

😀급수유형

4 다음 밑줄 친 한자어의 음(소리)을 쓰세요.

(1) 이곳은 우리나라 **名山** 중의 하나입니다. ➜ (   )

(2) 우리 집 앞에 **小川**이 흐릅니다. ➜ (   )

😀급수유형

5 다음 뜻과 음(소리)에 맞는 한자를 보기 에서 찾아 그 번호를 쓰세요.

보기

① 平   ② 川   ③ 天   ④ 山

(1) 메 산 ➜ (   )

(2) 내 천 ➜ (   )

😀급수유형

6 다음 밑줄 친 낱말에 해당하는 한자어를 보기 에서 찾아 그 번호를 쓰세요.

보기

① 大川   ② 入山   ③ 入水   ④ 靑天

(1) <u>입산</u>할 때는 안전을 위해 준비를 철저히 해야 합니다. ➜ (   )

(2) 작은 개천들이 모여 <u>대천</u>을 이룹니다. ➜ (   )

海 水

바다 해 　 물 수

🔍 다음 글을 읽고, 오늘 배울 한자를 확인해 보세요.

우리나라는 삼면이 바다[海]로 둘러싸여 있어요.
서해(海)는 물[水]의 깊이가 얕고,
동해(海)는 깊습니다.
남해(海)에는 섬이 많습니다.
가족들과 바다[海]로 놀러 가고 싶어요.
바다에서 수(水)영도 하고, 낚시도 하고 싶습니다.

오늘 배울 한자

海 水
바다 해 　 물 수

바다 해

깊고 어두운 물을 나타내는 글자로, 크고 넓은 바다를 뜻해요.

QR을 보며 따라 써요!

海	海	海	海	海	海
바다 해	바다 해	바다 해	바다 해	바다 해	바다 해

1주

물 수

시냇물이 흐르는 모습을 본뜬 글자로, 물을 뜻해요.

QR을 보며 따라 써요!

水	水	水	水	水	水
물 수	물 수	물 수	물 수	물 수	물 수

海 바다 해 | 水 물 수

한자어를 익혀요

🔍 '海(바다 해)'와 '水(물 수)'가 들어간 한자어를 알아봅시다.

 바다 해

 물 수

남해(南海)

南	
남녘 남	바다 해

뜻 우리나라 남쪽에 있는 바다

수영(水泳)

	泳
물 수	헤엄칠 영

뜻 물속을 헤엄치는 일

동해(東海)

東	
동녘 동	바다 해

뜻 우리나라 동쪽에 있는 바다

해수(海水)

海	
바다 해	물 수

뜻 바다에 괴어 있는 짠물. 바닷물

해상(海上)

	上
바다 해	윗 상

뜻 바다의 위

식수(食水)

食	
밥/먹을 식	물 수

뜻 먹을 용도의 물

4일

자연 한자

海 바다 해 | 水 물 수

기초 실력을 키워요

 한자 확인

1 다음 그림에 해당하는 한자를 찾아 ◯표 하세요.

地　　　海　　　　　水　　　金

어휘 확인

2 다음 뜻에 해당하는 낱말을 찾아 선으로 이으세요.

바다의 위　　·　　　　　·　수영

물속을 헤엄치는 일　·　　　·　해상

어휘 확인

3 다음 뜻에 해당하는 한자어를 찾아 ◯표 하세요.

우리나라 남쪽에 있는 바다

海上　　南海

먹을 용도의 물

食水　　海水

급수 유형

4 다음 밑줄 친 한자어의 음(소리)을 쓰세요.

(1) 지난여름 우리 가족은 東海로 놀러 갔습니다. ➡ (   )

(2) 폭염으로 海水의 온도가 상승했습니다. ➡ (   )

1주

급수 유형

5 보기 와 같이 다음 한자의 뜻과 음(소리)을 쓰세요.

> 보기
>
> 川 ➡ 내 천

(1) 海 ➡ (   )

(2) 水 ➡ (   )

급수 유형

6 다음 뜻에 맞는 한자어를 보기 에서 찾아 그 번호를 쓰세요.

> 보기
>
> ① 天上   ② 海水   ③ 海上   ④ 生水

(1) 바다의 위 ➡ (   )

(2) 바다에 괴어 있는 짠물. 바닷물 ➡ (   )

5일

자연 한자

空 氣
빌 공 기운 기

🔍 다음 글을 읽고, 오늘 배울 한자를 확인해 보세요.

오늘은 공기(空氣)가 너무 상쾌합니다.
좋은 일이 일어날 것 같은 기(氣)분이에요.
사실 좋아하는 친구가 있는데,
내 마음을 고백할까 생각 중입니다.
나무 뒤의 공(空)간에 그 친구가 서 있네요.
용기(氣)를 내어 볼까요?

오늘 배울 한자

空 氣
빌 공 기운 기

빌 공

도구를 이용하여 구덩이를 파는 것을 나타낸 글자로, **비다**를 뜻해요.

QR을 보며 따라 써요!

1주

空	空	空	空	空	空
빌 공	빌 공	빌 공	빌 공	빌 공	빌 공

기운 기

밥을 지을 때 나는 '수증기'가 올라가는 모습을 표현한 것으로, **기운**이나 **날씨**와 관련된 뜻이 있어요.

QR을 보며 따라 써요!

氣	氣	氣	氣	氣	氣
기운 기	기운 기	기운 기	기운 기	기운 기	기운 기

5일

자연 한자

空 빌 공 | 氣 기운 기

한자어를 익혀요

🔍 '空(빌 공)'과 '氣(기운 기)'가 들어간 한자어를 알아봅시다.

 空 빌 공

 氣 기운 기

공지(空紙)

紙
빌 공	종이 지

뜻 빈 종이. 백지

일기(日氣)

日
날 일	기운 기

뜻 그날그날의 기상 상태. 날씨

시공(時空)

時	
때 시	빌 공

뜻 시간과 공간을 아울러 이르는 말

공기(空氣)

空	
빌 공	기운 기

뜻 지구 표면을 둘러싸고 있는 무색, 무취의 투명한 기체

상공(上空)

上	
윗 상	빌 공

뜻 높은 하늘. 어떤 지역의 위에 있는 공중

활기(活氣)

活	
살 활	기운 기

뜻 활동력이 있거나 활발한 기운

1 다음 한자의 뜻과 음(소리)으로 알맞은 것을 찾아 선으로 이으세요.

空

氣

빌 공   빌 허   기분 기   기운 기

2 다음 문장의 뜻에 알맞은 낱말을 찾아 ◯표 하세요.

오늘은 황사나 미세 먼지가 없어
(공기 / 생기)가 맑습니다.

목적지에 도착하자 학생들은
(일기 / 활기)를 띠었습니다.

3 다음 한자어의 뜻을 바르게 나타낸 것에 ✔표 하세요.

時空

☐ 하늘과 땅 사이의 빈 곳

☐ 시간과 공간을 아울러 이르는 말

급수 유형

4 다음 밑줄 친 한자어의 음(소리)을 쓰세요.

(1) 비행기가 <u>上空</u>을 날고 있습니다. → (   )

(2) 그 영화는 <u>時空</u>을 초월한 사랑 이야기로 유명합니다. → (   )

급수 유형

5 다음 뜻과 음(소리)에 맞는 한자를 보기 에서 찾아 그 번호를 쓰세요.

보기

① 空   ② 工   ③ 氣   ③ 記

(1) 빌 공 → (   )

(2) 기운 기 → (   )

급수 유형

6 다음 뜻에 맞는 한자어를 보기 에서 찾아 그 번호를 쓰세요.

보기

① 空間   ② 日氣   ③ 空氣   ④ 活氣

(1) 그날그날의 기상 상태. 날씨 → (   )

(2) 지구 표면을 둘러싸고 있는 무색, 무취의 투명한 기체 → (   )

1 다음 한자의 알맞은 뜻과 음(소리)을 골라 선으로 이으세요.

(1) 地 ·   · 바다 ·   · 지

(2) 海 ·   · 기운 ·   · 해

(3) 氣 ·   · 땅 ·   · 기

2 다음 **설명** 에 해당하는 한자어를 □ 안을 채워 완성하세요.

> **설명**
> 푸른 하늘

→ 青□

3 다음 그림이 나타내는 한자를 선으로 이으세요.

    · 川

· 山

4 한자 카드에 쓰인 내용이 맞는 것에 ∨표 하세요.

□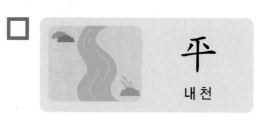

平
내 천

□

空
빌 공

5 다음 밑줄 친 한자어의 음(소리)을 쓰세요.

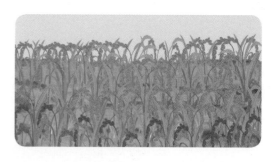

平地에 논농사를 짓습니다.

→ (   )

6 다음 한자의 뜻을 보기 에서 찾아 그 번호를 쓰세요.

> **보기**
> ① 평평하다 ② 푸르다 ③ 높다

(1) 靑 ➔ (   )

(2) 平 ➔ (   )

7 다음 [ ] 안에 들어갈 한자를 보기 에서 찾아 그 번호를 쓰세요.

> **보기**
> ① 空   ② 平   ③ 川

● 우리나라는 산[ ]이 아름답습니다.

➔ (   )

8 다음 밑줄 친 한자어의 음(소리)을 쓰세요.

> 가을은 ⑴ 靑天이 드높고
> ⑵ 空氣가 맑습니다.

(1) (   )

(2) (   )

9 다음 십자말풀이를 보고 [ ] 안에 들어갈 알맞은 한자를 보기 에서 찾아 그 번호를 쓰세요. ➔ (   )

> **보기**
> ① 靑   ② 海   ③ 山

남	[ ]
	상

➔ [ ]: 우리나라 남쪽에 있는 바다

↓ [ ]상: 바다의 위

10 다음 밑줄 친 낱말에 해당하는 한자어를 보기 에서 찾아 그 번호를 쓰세요.

> **보기**
> ① 活氣 ② 海水 ③ 山水

(1) 해수를 이용해 소금을 만듭니다.

➔ (   )

(2) 많은 청년들이 귀농하자 그 마을은 활기를 띠었습니다.

➔ (   )

📖 국어+한문 다음 만화를 읽고, 성어의 뜻을 생각해 보세요.

靑 天 白 日

푸를 **청**　　하늘 **천**　　흰 **백**　　날 **일**

이상하다. 잎에 구멍이 숭숭 나 있어. 도대체 왜 이런 걸까? 병이 든 걸까? 아님 누가 이런 짓을……

누나, 이 화분 왜 이런지 알아? 잎에 구멍이 나 있어.

글쎄 난 모르겠는데.

혹시 누나가 구멍 낸 거 아냐?

난 아냐. 난 그런 화분이 있는지도 몰랐어. 나의 결백은 청천백일과 같아.

이상하다. 아, 멍뭉아! 너 매일 집에 있잖아.

깜짝

벌떡

◆ 성어의 뜻을 살펴보며 빈칸에 알맞은 한자를 채우세요.

→ '푸른 하늘에서 밝게 비치는 해'라는 뜻으로, 아무런 잘못도 없이 결백한 것 또는 무죄를 이르는 말

특강 창의·융합·코딩
생각을 키워요 ②

📖 코딩+한문 규칙 에 따라 명령어 를 눌렀을 때 로봇의 움직임으로 가져온 한자를 써서 한자어를 완성하세요.

규칙

- 로봇은 버튼을 누른 순서대로 움직입니다.
- '그리고'를 사용하여 두 가지 카드를 모두 가져오게 할 수 있습니다.
- '취소'를 사용하여 명령을 취소할 수 있습니다.
- 문제 1 ~ 문제 3 에서 완성된 한자어의 음(소리)을 사용하여 문제 4 의 문장을 완성하세요.

한자 카드

명령어

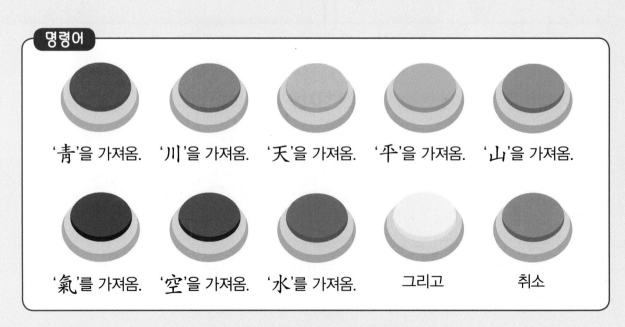

'靑'을 가져옴. '川'을 가져옴. '天'을 가져옴. '平'을 가져옴. '山'을 가져옴.

'氣'를 가져옴. '空'을 가져옴. '水'를 가져옴. 그리고 취소

문제 1

문제 2

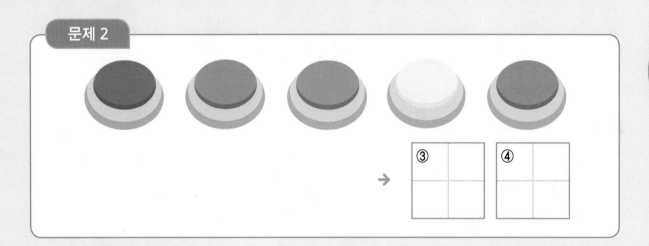

문제 3

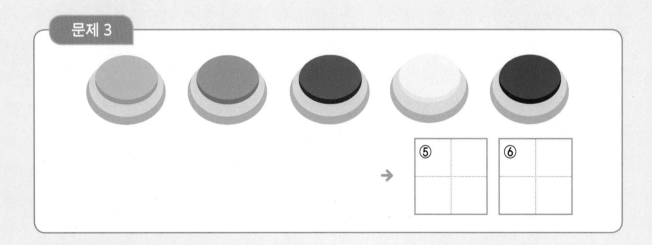

문제 4

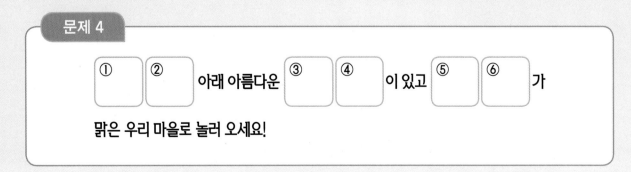

① ② 아래 아름다운 ③ ④ 이 있고 ⑤ ⑥ 가

맑은 우리 마을로 놀러 오세요!

생각을 키워요 ③

창의·융합·코딩

📖 **사회+한문** 다음 그림은 하늘이네 마을의 모습입니다. 그림을 보고, 다음 물음에 답해 보세요.

1 그림에 나타난 각 자연 요소와 관련 있는 한자를 보기 에서 찾아 그 번호를 ◯에 쓰세요.

> **보기**
>
> ① 山　　② 海　　③ 地　　④ 川

2 그림에 나타난 '天'의 색을 바르게 나타낸 한자에 ∨표 하세요.

3 다음 학생들의 대화에서 빈칸에 들어갈 말을 한자로 바르게 나타낸 것에 ◯표 하세요.

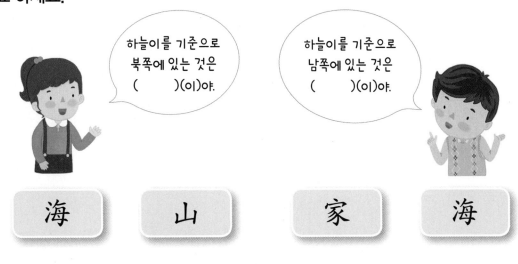

하늘이를 기준으로 북쪽에 있는 것은 (　　　)(이)야.

하늘이를 기준으로 남쪽에 있는 것은 (　　　)(이)야.

海　　山　　家　　海

2주에는 무엇을 공부할까? ①

탐정 사무소

초롱 탐정! 편지가 왔어.

아, 그래? 누가 보낸 걸까?

편지 제목에 '우리를 도와주세요!' 라고 쓰여 있어.

우리를 도와주세요!

우리는 林木이 무성하고 花草가 만발한 自然 속에서 살고 있는 植物, 동물들입니다.

그런데 요즘 사람들이 林木을 마구 베어 가고 쓰레기를 함부로 버리면서 우리가 사는 곳들이 파괴되고 오염되고 있어요. 自然이 파괴되면 우리 生命은 물론 인간의 生命도 위험해질 수 있어요.

自然을 지키고 보호할 방법을 찾아 널리 알려 주세요.

숲속 친구들이

숲속 친구들을 도와줘야 할 것 같은데…….

여기 나온 한자를 알아야 할 것 같아.

1일 花 꽃화 | 草 풀초　　**2**일 林 수풀 림 | 木 나무 목　　**3**일 植 심을 식 | 物 물건 물

4일 自 스스로 자 | 然 그럴 연　　**5**일 生 날 생 | 命 목숨 명

우리를 도와주세요!

우리는 임목이 무성하고 화초가 만발한 자연 속에서 살고 있는 식물, 동물들입니다.

그런데 요즘 사람들이 임목을 마구 베어 가고 쓰레기를 함부로 버리면서 우리가 사는 곳들이 파괴되고 오염되고 있어요. 자연이 파괴되면 우리 생명은 물론 인간의 생명도 위험해질 수 있어요.

자연을 지키고 보호할 방법을 찾아 널리 알려 주세요.

숲속 친구들이

2주

⭐ 이번 주에 배울 한자들이 그림 속에 숨어 있어요. 보기를 참고해서 한자를 찾아 ○ 표 하고, 그중 빨간색으로 표시된 한자의 음(소리)을 □에 써서 문구를 완성하세요.

花 꽃 화   草 풀 초   林 수풀 림   木 나무 목   植 심을 식
物 물건 물 自 스스로 자 然 그럴 연   生 날 생   命 목숨 명

花草

꽃 화 　　 풀 초

🔍 다음 글을 읽고, 오늘 배울 한자를 확인해 보세요.

우리 집 마당은 알록달록 예쁜 꽃[花]들,
싱그러운 풀[草]들로 가득합니다.
부모님이 매일 정성껏 가꾸신 화초(花草)들이죠.
향기롭고 아름다운 꽃[花]과 풀[草]을 보면
기분이 좋아지고 건강해지는 느낌이 듭니다.

오늘 배울 한자

花草

꽃 화 　　 풀 초

✏️ **연하게 쓰인 한자를 따라 써 본 후, 빈칸에 바르게 쓰세요.**

꽃 화

한 송이의 꽃 모양을 본뜬 글자로, 풀[艸]싹이 변하여[化] 꽃봉오리를 맺는다는 데서 꽃을 뜻해요.

QR을 보며 따라 써요!

花	花	花	花	花	花
꽃 화	꽃 화	꽃 화	꽃 화	꽃 화	꽃 화

풀 초

풀 모양을 본뜬 글자로, 풀을 뜻해요.

QR을 보며 따라 써요!

草	草	草	草	草	草
풀 초	풀 초	풀 초	풀 초	풀 초	풀 초

2주

花 꽃화 | 草 풀초

한자어를 익혀요

우리 집 정원에는 화초(花草)가 가득해. 구경 갈래?

좋아! 오늘 학교 끝나고 가자!

노을이네 집

와, 정말 멋지다! 꽃이 만발했네.

생화(生花)와 생초(生草)로 꽃다발을 만들면 정말 향기롭겠다.

와, 저곳은 백화(百花)로 가득하네.

얘들아, 백화 가운데 내가 서 있으니 어떤 게 꽃이고 어떤 게 나인지 구분이 안 되지?

뭐라고? 하하!

얘들아, 상상해 봐. 초가(草家)집 앞에 백화가 만발하고, 초목(草木)이 우거진 곳! 그곳은 한 폭의 그림 같겠지? 나중에 크면 그런 곳에서 살고 싶다.

어, 난 아파트 살고 싶은데?

방금 뭐라고 했어?

아, 아냐. 하하!

🔍 '花(꽃 화)'와 '草(풀 초)'가 들어간 한자어를 알아봅시다.

花 꽃 화

草 풀 초

화초(花草)

꽃 화	草
꽃 화	풀 초

뜻 꽃과 풀

생초(生草)

生	풀 초
날 생	풀 초

뜻 살아 있거나 마르지 않은 풀

생화(生花)

生	꽃 화
날 생	꽃 화

뜻 살아 있는 화초에서 꺾은 진짜 꽃

초가(草家)

풀 초	家
풀 초	집 가

뜻 짚, 갈대 등으로 지붕을 인 집

백화(百花)

百	꽃 화
일백 백	꽃 화

뜻 온갖 꽃

초목(草木)

풀 초	木
풀 초	나무 목

뜻 풀과 나무

花 꽃 화 | 草 풀 초

기초 실력을 키워요

한자 확인

1 다음 뜻과 음(소리)에 해당하는 한자를 찾아 ◯표 하세요.

꽃 화

花　火

풀 초

木　草

어휘 확인

2 낱말판에서 설명 에 해당하는 낱말을 찾아 ◯표 하세요.

목	수	록
가	생	초
조	화	분

설명

살아 있는 화초에서 꺾은 진짜 꽃

어휘 확인

3 다음 문장에 들어갈 말로 어울리는 한자어를 찾아 ◯표 하세요.

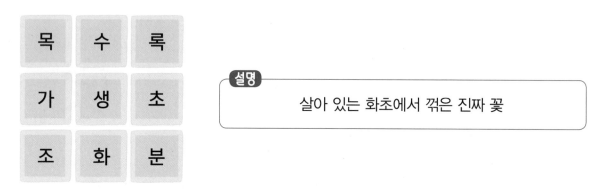

여름이 되자 온 산에 (草木 / 草家)이/가
무성하게 자라 있습니다.

급수 유형

4 다음 밑줄 친 한자어의 음(소리)을 쓰세요.

(1) <u>生花</u>의 향기가 매우 좋습니다. → (   )

(2) 옛날 사람들은 <u>草家</u>집에서 살았습니다. → (   )

급수 유형

5 보기 와 같이 다음 한자의 뜻과 음(소리)을 쓰세요.

> 보기
> 氣 → 기운 기

(1) 花 → (   )

(2) 草 → (   )

급수 유형

6 다음 밑줄 친 낱말에 해당하는 한자어를 보기 에서 찾아 그 번호를 쓰세요.

> 보기
> ① 花草   ② 百花   ③ 生花   ④ 草木

(1) 날씨가 따뜻해지자 들판에 백화가 만발합니다. → (   )

(2) 매일 화초를 정성껏 가꿉니다. → (   )

林 木

수풀 림　　나무 목

🔍 다음 글을 읽고, 오늘 배울 한자를 확인해 보세요.

우리 할아버지는 산으로 둘러싸여 있는 마을에 사십니다.
할아버지께서는 나무[木]가 무성한 숲[林]에서
고사리, 도라지 등의 나물이나 약초를 캐십니다.
또, 목(木)재를 이용해 버섯도 기르시고, 꿀벌도 기르십니다.
할아버지 댁에 가면 숲[林]속에 구경거리가
많아서 재미있습니다.

오늘 배울 한자

林 木

수풀 림　　나무 목

수풀 림

나무가 나란히 서 있는 모습을 본뜬 글자로, 나무가 많은 **수풀**을 뜻해요.

QR을 보며 따라 써요!

林	林	林	林	林	林
수풀 림	수풀 림	수풀 림	수풀 림	수풀 림	수풀 림

2주

나무 목

나무가 땅에 뿌리를 박고 가지를 뻗어 나가는 모습을 본뜬 글자로, **나무**를 뜻해요.

QR을 보며 따라 써요!

木	木	木	木	木	木
나무 목	나무 목	나무 목	나무 목	나무 목	나무 목

2일

자연 한자

林 수풀 림 | 木 나무 목

한자어를 익혀요

오늘은 촌락에서 사는 친척 등 주변 사람들의 직업에 대해 발표해 볼 거예요. 촌락에서는 주로 농림(農林)업, 축산업, 수산업, 관광업 등이 발달했어요.

우리 삼촌은 농촌에서 목화(木花) 재배를 하십니다.

아, 그렇군요. 여러분, 목화솜은 우리가 입는 옷의 재료가 된답니다.

우리 할아버지는 임목(林木)이 무성한 산지촌에 살고 계세요. 산림(山林)에서 나물, 약초, 버섯, 채소 등을 기르거나 캐서 판매하십니다.

우리 큰아버지는 토목(土木)으로 전원주택을 짓는 일을 하세요. 좋은 목재를 골라 정말 멋진 집을 지으십니다.

와, 정말 멋지다. 저도 건축가가 되는 것이 꿈이거든요. 나중에 커서 꼭 대목(大木)이 될 거예요.

그래요! 그런데 지금은 본인의 꿈을 발표하는 시간이 아니죠? 이번에는 이슬이가 얘기해 볼까요?

아, 네…….

하하!

🔍 '林(수풀 림)'과 '木(나무 목)'이 들어간 한자어를 알아봅시다.

 수풀 림

 나무 목

농림(農林)

農	
농사 농	수풀 림

뜻 농업과 임업을 아울러 이르는 말

목화(木花)

	花
나무 목	꽃 화

뜻 아욱과 목화속 식물을 통틀어 이르는 말

임목(林木)

	木
수풀 림	나무 목

'林'이 낱말의 맨 앞에 올 때는 '임'이라고 읽어요.

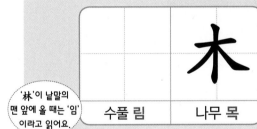

뜻 숲의 나무

토목(土木)

土	
흙 토	나무 목

뜻 흙과 나무. 토목 공사

산림(山林)

山	
메 산	수풀 림

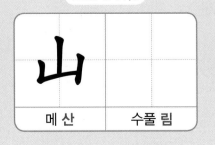

뜻 산과 숲. 산에 있는 숲

대목(大木)

大	
큰 대	나무 목

뜻 큰 건축물을 잘 짓는 목수

林 수풀 림 | 木 나무 목

기초 실력을 키워요

한자 확인

1 다음 한자의 뜻과 음(소리)으로 알맞은 것을 찾아 ○표 하세요.

林

수풀 림 　 풀 초

木

물 수 　 나무 목

어휘 확인

2 ○에 알맞은 글자를 넣어 낱말을 만드세요.

산과 숲.
산에 있는 숲

산○

흙과 나무.
토목 공사

토○

어휘 확인

3 다음 한자어의 뜻을 바르게 나타낸 것에 ✔표 하세요.

農林

☐ 물속에 사는 생물 등을 생활에 이용하는 산업

☐ 농업과 임업을 아울러 이르는 말

🐰급수유형

4 다음 뜻과 음(소리)에 맞는 한자를 보기 에서 찾아 그 번호를 쓰세요.

보기
① 林　　② 木　　③ 天　　④ 土

(1) 수풀 림 ➜ (　　　　　)

(2) 나무 목 ➜ (　　　　　)

🐰급수유형

5 다음 밑줄 친 낱말에 해당하는 한자어를 보기 에서 찾아 그 번호를 쓰세요.

보기
① 木手　　② 水山　　③ 木花　　④ 農林

(1) 그 지역 주민들은 주로 <u>농림</u>업에 종사하고 있습니다. ➜ (　　　　　)

(2) <u>목화</u>를 재배하여 면섬유를 얻습니다. ➜ (　　　　　)

🐰급수유형

6 다음 뜻에 맞는 한자어를 보기 에서 찾아 그 번호를 쓰세요.

보기
① 農林　　② 大木　　③ 木工　　④ 林木

(1) 숲의 나무 ➜ (　　　　　)

(2) 큰 건축물을 잘 짓는 목수 ➜ (　　　　　)

2주

3일

자연 한자

植 物
심을 식　　물건 물

🔍 다음 글을 읽고, 오늘 배울 한자를 확인해 보세요.

이번 방학 때 제주도 여행을 가면
한라산에 올라갈 계획입니다.
한라산에는 다양한 식물(植物)과 동물(物)들이
살고 있다고 합니다.
특히 멸종 위기에 있거나 제주도에서만 사는
식물(植物)들을 찾아볼 수 있다고 해요.
여행 가기 전에 책도 읽어 보고, 등산복, 카메라 등
여행 준비물(物)도 잘 챙겨야겠습니다.

오늘 배울 한자

植 物
심을 식　　물건 물

심을 식

나무를 심을 때 곧게 세워서 심는다는 데서, 심다 라는 뜻을 나타내요.

QR을 보며 따라 써요!

植	植	植	植	植	植
심을 식	심을 식	심을 식	심을 식	심을 식	심을 식

물건 물

제사 지낼 때 바치던 소를 나타낸 글자예요. 제 물을 나타낸 데서, 물건이라는 뜻이 생겼어요.

QR을 보며 따라 써요!

物	物	物	物	物	物
물건 물	물건 물	물건 물	물건 물	물건 물	물건 물

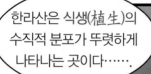

한라산은 식생(植生)의 수직적 분포가 뚜렷하게 나타나는 곳이다…….

아빠, 이게 무슨 뜻이에요?

음, 그건 말이야. 산의 높이가 낮은 곳은 따뜻하니 따뜻한 곳에서 사는 식물(植物)이 자라고, 높은 곳으로 올라갈수록 바람이 세고 추워지니 추운 곳에 사는 식물이 자라지. 즉, 산의 높이에 따라 살고 있는 식물이 다르다는 거야.

아, 그렇구나!

한라산은 높이에 따라 기후도 다르지만, 섬이라는 지리적 특성도 있어 다양하고 희귀한 식물과 동물(動物)이 살고 있지.

이번에 한라산에 가면 만나볼 수 있겠네요.

우주야, 이렇게 소중한 식물과 동물이 살고 있는 숲을 잘 보존해야겠지? 나중에 사막에 나무를 숲을 만드는 식림(植林) 봉사 활동 에도 참여해 보렴.

와, 꼭 참여해 보고 싶어요!

아빠는 모르는 게 없는 만물(萬物)박사 같아요!

하하, 항상 주변 사물(事物)에 관심을 가지고 살펴보렴. 그리고 책을 많이 읽으면 도움이 된단다.

좋아! 나도 이제부터 사물에 관심을……! 오, 저 안에 들어 있는 것은 무엇일까? 맛있는 냄새가 나는데?

우주는 먹을 것에만 특히 관심이 많구나! 하하!

 '植(심을 식)'과 '物(물건 물)'이 들어간 한자어를 알아봅시다.

식생(植生)

生

| 심을 식 | 날 생 |

뜻 어떤 일정한 장소에서 모여 사는 식물의 집단

동물(動物)

動

| 움직일 동 | 물건 물 |

뜻 생물계의 두 갈래 가운데 하나로, 짐승, 물고기, 벌레, 사람 등을 통틀어 이르는 말

식물(植物)

物

| 심을 식 | 물건 물 |

뜻 생물계의 두 갈래 가운데 하나로, 땅에 심어진 온갖 나무와 풀

만물(萬物)

萬

| 일만 만 | 물건 물 |

뜻 세상에 있는 모든 것. 갖가지 수많은 물건

식림(植林)

林

| 심을 식 | 수풀 림 |

뜻 나무를 심어 숲을 만듦.

사물(事物)

事

| 일 사 | 물건 물 |

뜻 일과 물건을 통틀어 이르는 말

3일

자연 한자

植 심을 식 | 物 물건 물

기초 실력을 키워요

🐻 한자 확인

1 다음 한자를 보고, 빈칸에 알맞은 말을 쓰세요.

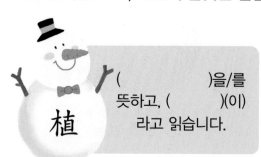

植 ( )을/를 뜻하고, ( )(이) 라고 읽습니다.

物 ( )을/를 뜻하고, ( )(이) 라고 읽습니다.

🐻 어휘 확인

2 다음 뜻에 해당하는 한자어를 찾아 선으로 이으세요.

생물계의 두 갈래 가운데 하나로, 땅에 심어진 온갖 나무와 풀 •

• 萬物

• 植物

🐻 어휘 확인

3 다음 설명에 해당하는 낱말을 찾아 ◯표 하세요.

설명

일과 물건을 통틀어 이르는 말

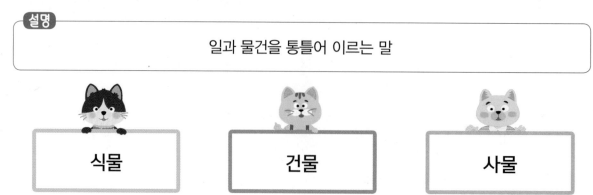

식물   건물   사물

급수유형

4 다음 밑줄 친 한자어의 음(소리)을 쓰세요.

(1) 생물은 식물과 **動物** 등으로 분류할 수 있습니다. → (   )

(2) **植生**은 어떤 일정한 장소에 모여 사는 식물의 집단을 말합니다.

→ (   )

급수유형

5 보기 와 같이 다음 한자의 뜻과 음(소리)을 쓰세요.

> 보기
>
> 木 → 나무 목

(1) 植 → (   )

(2) 物 → (   )

급수유형

6 다음 밑줄 친 낱말에 해당하는 한자어를 보기 에서 찾아 그 번호를 쓰세요.

> 보기
>
> ① 植林   ② 山林   ③ 萬物   ③ 植物

(1) 그 회사는 환경 보호를 위해 사막에 나무를 심는 식림 봉사 활동에 참여하고 있습니다.

→ (   )

(2) 인간은 만물의 영장입니다. → (   )

自 然
스스로 자   그럴 연

🔍 다음 글을 읽고, 오늘 배울 한자를 확인해 보세요.

부엌에서 맛있는 냄새가 납니다.
언니가 맛있는 간식을 만들고 있습니다.
천연(然) 재료로 만든 건강 간식이라며 자랑을 합니다.
과연(然) 무슨 음식이 탄생할지 궁금합니다.
나도 요리하는 방법을 배워서 스스로[自]
간식을 만들어 먹고 싶습니다.

오늘 배울 한자

自 然
스스로 자   그럴 연

스스로 자

사람의 코 모양을 본뜬 글자로, 자기를 말할 때 코를 가리키므로 **스스로**라는 뜻을 가지고 있어요.

QR을 보며 따라 써요!

自	自	自	自	自	自
스스로 자	스스로 자	스스로 자	스스로 자	스스로 자	스스로 자

2주

그럴 연

그러하다 또는 틀림이 없다라는 뜻을 나타내는 글자예요.

QR을 보며 따라 써요!

然	然	然	然	然	然
그럴 연	그럴 연	그럴 연	그럴 연	그럴 연	그럴 연

自 스스로 자 | 然 그럴 연

한자어를 익혀요

노을이네 집

천연(天然) 재료로 만든 맛있는 간식, 완성! 이따가 먹어야지.

어, 언니가 만든 건가? 맛있겠다. 조금만 먹어 볼까?

헉! 너무 많이 먹었네. 어쩌지? 모르는 척 자연(自然)스럽게 행동해야겠다.

잠시 후

노을아!

어? 왜, 왜 불러?

새로 산 내 리본 머리끈 못 봤니? 요즘 자꾸 내 머리끈들이 없어지는데.

못 봤는데? 난 전연(全然) 모르는 일이야.

그런데 왜 이렇게 행동이 부자연(不自然)스럽지? 자백(自白)하는 게 좋을 거야.

어쨌든 난 아냐. 절대 아냐.

그게 자력(自力)으로 움직여서 어디로 간 걸까? 이상하다.

야옹!(오, 나의 장난감들! 들키지 않으려면 나처럼 천연덕스럽게 행동해야 한다옹!)

할짝 한짝

🔍 '自(스스로 자)'와 '然(그럴 연)'이 들어간 한자어를 알아봅시다.

自 스스로 자

然 그럴 연

자연(自然)

然

| 스스로 자 | 그럴 연 |

뜻 저절로 그러한 상태

천연(天然)

天

| 하늘 천 | 그럴 연 |

뜻 사람의 힘을 가하지 않은 그대로의 상태

자백(自白)

白

| 스스로 자 | 흰 백 |

뜻 자기의 죄나 잘못을 스스로 고백함.

전연(全然)

全

| 온전 전 | 그럴 연 |

뜻 도무지. 완전히. 전혀

자력(自力)

力

| 스스로 자 | 힘 력 |

뜻 자기 혼자의 힘

부자연(不自然)

不 自

'不'은 'ㄷ', 'ㅈ'으로 시작하는 말 앞에서는 '부'로 읽어요

| 아닐 불 | 스스로 자 | 그럴 연 |

뜻 말이나 행동이 자연스럽지 못함. 억지로 꾸민 듯하여 어색함.

自 스스로 자 | 然 그럴 연

기초 실력을 키워요

한자 확인

1 다음 설명에 해당하는 한자를 쓰세요.

'스스로'를 뜻하고 '자'라고 읽습니다.

→ (   )

'그러하다' 또는 '틀림이 없다'를 뜻하고 '연'이라고 읽습니다.

→ (   )

어휘 확인

2 다음에서 '自(스스로 자)'가 들어 있는 낱말을 찾아 ◯표 하세요.

재미있는 (한자) 공부

부모에게 소중한 (자녀)

(자력)으로 성공한 사람

어휘 확인

3 다음 ◯에 공통으로 들어갈 말을 한자로 바르게 나타낸 것에 ✔표 하세요.

- 자◯ : 저절로 그러한 상태
- 전◯ : 도무지. 완전히. 전혀

☐ 然

☐ 生

급수 유형

4 다음 밑줄 친 한자어의 음(소리)을 쓰세요.

(1) 우리는 <u>自然</u>을 아끼고 보호해야 합니다. ➡ (   )

(2) 범인이 찾아와 자신의 죄를 <u>自白</u>했습니다. ➡ (   )

급수 유형

5 다음 뜻과 음(소리)에 맞는 한자를 보기 에서 찾아 그 번호를 쓰세요.

> 보기
>
> ① 草   ② 然   ③ 植   ④ 自

(1) 스스로 자 ➡ (   )

(2) 그럴 연 ➡ (   )

급수 유형

6 다음 뜻에 맞는 한자어를 보기 에서 찾아 그 번호를 쓰세요.

> 보기
>
> ① 自力   ② 天生   ③ 天然   ④ 自白

(1) 자기 혼자의 힘 ➡ (   )

(2) 사람의 힘을 가하지 않은 그대로의 상태 ➡ (   )

生命

날 생 목숨 명

🔍 다음 글을 읽고, 오늘 배울 한자를 확인해 보세요.

학교 수업 시간에 식물 기르기를 배웠습니다.
화단에 나팔꽃 씨앗을 심고 물을 준 뒤
며칠이 지나자 귀여운 싹이 났어요[生].
나팔꽃이 잘 자라도록 친구들과 순서를
정해 물을 주기로 했습니다.
어서 쑥쑥 자라서 꽃이 활짝 피면 좋겠어요.
작은 씨앗에서 새싹이 나고[生]
식물이 자라는 걸 지켜보면서
생명(生命)의 소중함을 알게 되었습니다.

오늘 배울 한자

生命
날 생 목숨 명

 **연하게 쓰인 한자를 따라 써 본 후, 빈칸에 바르게 쓰세요.**

날 생

땅 위에 새싹이 돋아나 자라는 모습을 본뜬 글자로, **나다**, **살다**라는 뜻이에요.

QR을 보며 따라 써요!

生	生	生	生	生	生
날 생	날 생	날 생	날 생	날 생	날 생

2주

목숨 명

대궐에 앉아 명령하는 사람을 나타낸 글자로, 그 명령은 목숨만큼 중요하다는 데서 **목숨**이라는 뜻을 나타내요.

QR을 보며 따라 써요!

命	命	命	命	命	命
목숨 명	목숨 명	목숨 명	목숨 명	목숨 명	목숨 명

5일

자연 한자

生 날 생 | 命 목숨 명

한자어를 익혀요

애들아, 목표물을 명중(命中)시키면 선물을 준대.

우리도 도전해 보자!

선물 뽑기

와! 명중시켰다! 선물이 뭐지?

뽁

예쁜 화분이야. 좋겠다.

이 화분을 쑥쑥이로 명명(命名)할 거야. 쑥쑥아! 내가 잘 키워 줄게.

그래, 잘 키워봐.

며칠 후

앗, 신경을 안 썼더니 쑥쑥이가 시들시들해졌어. 내 인생(人生) 최대의 위기야! 어쩌지?

쑥쑥이를 햇빛이 잘 드는 창가에 두고 물을 줘봐.

응, 알았어.

훌쩍

시들…

몇 시간 후

쑥쑥이한테 이제 생기(生氣)가 돌아.

다행이다. 식물도 소중한 생명(生命)이야. 잘 돌봐야지.

미안해, 쑥쑥아! 내가 평생(平生) 잘 보살펴 줄게. 약속! 사랑해!

으, 귀찮아. 날 그냥 내버려 둬!

쪽

🔍 '生(날 생)'과 '命(목숨 명)'이 들어간 한자어를 알아봅시다.

 날 생

 목숨 명

인생(人生)

人	
사람 인	날 생

🔖 사람이 세상을 살아가는 일

명중(命中)

	中
목숨 명	가운데 중

🔖 화살, 총알 등이 겨냥한 곳에 바로 맞음.

생기(生氣)

	氣
날 생	기운 기

🔖 싱싱하고 힘찬 기운

명명(命名)

	名
목숨 명	이름 명

🔖 사람, 물건 등에 이름을 지어 붙임.

평생(平生)

平	
평평할 평	날 생

🔖 태어나서 죽을 때까지의 동안

생명(生命)

生	
날 생	목숨 명

🔖 목숨. 생물로서 살아 있게 하는 힘

5 일

자연 한자

生 날 생 | 命 목숨 명

기초 실력을 키워요

 한자 확인

1 다음 그림과 관련된 뜻과 음(소리), 한자를 찾아 선으로 이으세요.

| | 목숨 명 | 生 |
| | 날 생 | 命 |

 어휘 확인

2 힌트 를 보고 다음 빈칸에 들어갈 알맞은 글자를 써넣으세요.

평

기

힌트
• 평[ ]: 태어나서 죽을 때까지의 동안
• [ ]기: 싱싱하고 힘찬 기운

 어휘 확인

3 다음 문장에 들어갈 말로 어울리는 한자어를 찾아 ◯표 하세요.

화살이 과녁에 (空中 / 命中)하였습니다.

급수 유형

4 다음 밑줄 친 한자어의 음(소리)을 쓰세요.

(1) 식물에 물을 주었더니 <u>生氣</u>가 돕니다. → (　　　　　　)

(2) 소방관이 소중한 <u>生命</u>을 구했습니다. → (　　　　　　)

급수 유형

5 보기와 같이 다음 한자의 뜻과 음(소리)을 쓰세요.

보기

然 → 그럴 연

(1) 生 → (　　　　　　)

(2) 命 → (　　　　　　)

급수 유형

6 다음 밑줄 친 낱말에 해당하는 한자어를 보기에서 찾아 그 번호를 쓰세요.

보기

① 人生　　　　② 人氣　　　　③ 命名　　　　④ 生命

(1) 우리는 행복한 <u>인생</u>을 살고 있습니다. → (　　　　　　)

(2) 이곳을 '만남의 광장'으로 <u>명명</u>하였습니다. → (　　　　　　)

1 다음 한자 카드의 ☐ 안에 알맞은 한자를 쓰세요.

(1)

꽃 화

(2)

수풀 림

2 다음 밑줄 친 낱말에 해당하는 한자어를 보기 에서 찾아 그 번호를 쓰세요.

보기
① 草木 ② 花草 ③ 林木

● 봄이 되자 <u>초목</u>이 자라고 꽃이 만발합니다. ➡ (   )

3 다음 밑줄 친 한자어의 음(소리)을 쓰세요.

무분별한 벌목으로 <u>山林</u>이 훼손되고 있습니다.

➡ (   )

4 다음 그림이 나타내는 한자를 선으로 이으세요.

· 植

· 然

5 다음 한자의 뜻을 보기 에서 찾아 그 번호를 쓰세요.

보기
① 심다 ② 스스로 ③ 물건

(1) 自 ➡ (   )

(2) 物 ➡ (   )

6 다음 ☐ 안에 들어갈 한자를 보기 에서 찾아 그 번호를 쓰세요.

보기
① 物　② 植　③ 命

● 동물원에는 다양한 동☐이 있습니다. → (　　　　　)

7 다음 뜻에 해당하는 한자어를 찾아 선으로 이으세요.

저절로
그러한
상태

· 全然

· 自然

8 다음 밑줄 친 한자어의 음(소리)을 쓰세요.

그 과학자는 항상 (1) 事物에 관심을 가지고 관찰하며 (2) 平生 연구에 몰두했습니다.

(1) (　　　　　)

(2) (　　　　　)

9 다음 뜻에 알맞은 한자어를 보기 에서 찾아 그 번호를 쓰세요.

보기
① 生命　② 命名　③ 生氣

● 목숨. 생물로서 살아 있게 하는 힘
→ (　　　　　)

10 다음 낱말 퍼즐을 푸세요.

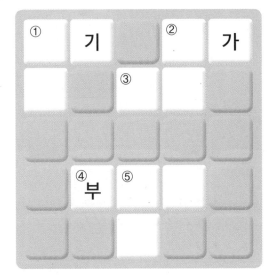

가로 열쇠
① 싱싱하고 힘찬 기운
② 집, 갈대 등으로 지붕을 인 집
③ 흙과 나무. 토목 공사
④ 말이나 행동이 자연스럽지 못함. 억지로 꾸민 듯하여 어색함.

세로 열쇠
① 살아 있는 화초에서 꺾은 진짜 꽃
② 풀과 나무
⑤ 자기 혼자의 힘

📖 국어+한문 다음 만화를 읽고, 성어의 뜻을 생각해 보세요.

山 川 草 木
메 산 내 천 풀 초 나무 목

◆ 성어의 뜻을 살펴보며 빈칸에 알맞은 한자를 채우세요.

→ '산과 내와 풀과 나무'라는 뜻으로, 자연을 이르는 말

생각을 키워요 ❷

📖 코딩+한문 '출발' 한자를 왼쪽 명령어 대로 주어진 방향으로 한 칸씩 이동합니다. 이동했을 때 만나는 한자와 한자어를 만들어 그 음(소리)을 쓰세요.

예시

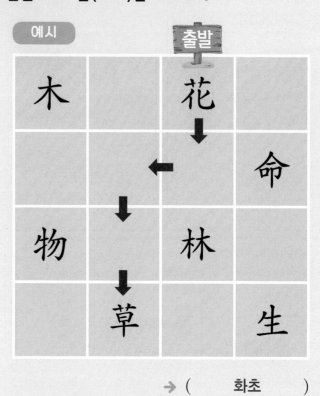

→ (　　　화초　　　)

문제 1

	草		物
林	출발		
	植		花
命		自	

명령어
▶
위쪽 ↑
오른쪽 ➡
위쪽 ↑
오른쪽 ➡

→ (　　　　　　　　)

● 정답 11쪽

문제 2

출발

命	木		自
然		林	生
		花	

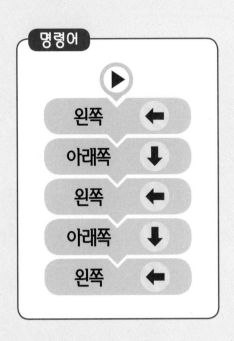

명령어

▶
왼쪽 ←
아래쪽 ↓
왼쪽 ←
아래쪽 ↓
왼쪽 ←

→ (   )

문제 3

	林		植
木			
		物	命
	生	草	

출발

명령어

▶
위쪽 ↑
위쪽 ↑
오른쪽 →
오른쪽 →
아래쪽 ↓

→ (   ).

📖 과학+한문 **다음 글을 읽고, 물음에 답해 보세요.**

지구상에는 다양한 ㉠식물과 ㉡동물이 살고 있습니다. 식물은 땅에 심어진 온갖 나무와 풀 등으로, 광합성을 하며 스스로 양분을 만듭니다. 동물은 짐승, 물고기, 벌레, 사람 등을 통틀어 이르는 말로, 다른 생물을 먹어서 양분을 얻고, 스스로 움직입니다.

이러한 식물과 동물 모두 소중한 생명체입니다. 식물과 동물이 함께 조화를 이루며 행복하고 안전하게 살아가기 위해서는 환경 오염을 줄이고 ㉢<u>自然</u>을 보호하려고 노력해야 합니다.

1 밑줄 친 ㉠, ㉡에 해당하는 한자어를 보기 에서 찾아 그 번호를 쓰세요.

보기
① 植生　　　② 植物　　　③ 動物　　　④ 萬物

(1) ㉠ 식물 → (　　　　　　)　　　(2) ㉡ 동물 → (　　　　　　)

2 다음에서 植物에 해당하는 것을 모두 골라 ○표 하세요.

3 밑줄 친 ㉢의 음(소리)을 보기 에서 찾아 쓰세요.

보기
천연　　　자연　　　자립　　　과연

● ㉢ 自然 → (　　　　　　)

4 다음 그림에서 자연을 보호하는 모습에 해당하지 <u>않는</u> 것에 ∨표 하세요.

흑흑. 탐정님! 저는 직녀라고 합니다. 저 좀 도와주실 수 있을까요?

네, 무슨 일이시죠?

결혼한 지 얼마 되지 않아 저희 부부가 큰 잘못을 해서 서로 헤어지게 되었어요.

저런. 정말 보고 싶겠어요.

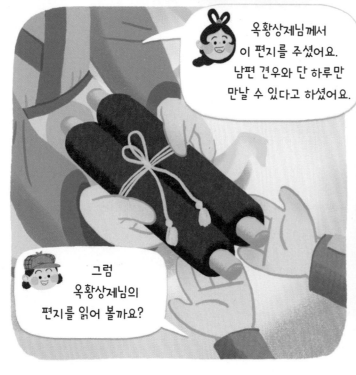

옥황상제님께서 이 편지를 주셨어요. 남편 견우와 단 하루만 만날 수 있다고 하셨어요.

그럼 옥황상제님의 편지를 읽어 볼까요?

직녀에게

　　열심히 일하지 않고 게을리 살다니 春夏秋冬, 每月 너희들이 함께할 수 없도록 하겠다.
　　來日 당장 보고 싶어도 볼 수 없게 해 주마. 단 七月 七夕에만 만나는 것을 허락하겠다.

옥황상제가

이번 주에는 어떤 한자를 공부할까?

1일 春 봄 춘 | 夏 여름 하   **2일** 秋 가을 추 | 冬 겨울 동   **3일** 七 일곱 칠 | 夕 저녁 석

4일 每 매양 매 | 月 달 월   **5일** 來 올 래 | 日 날 일

春 夏 秋 冬 七
夕 每 月 來 日

칠월! 칠월이야!

계절과 시간에 관련된 한자를 알아야 해. 자, 차분하게 편지를 읽어 보자.

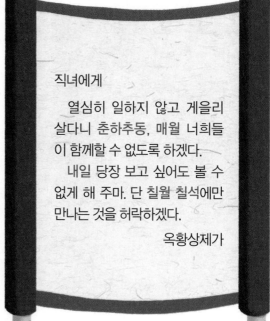

직녀에게

열심히 일하지 않고 게을리 살다니 춘하추동, 매월 너희들이 함께할 수 없도록 하겠다.

내일 당장 보고 싶어도 볼 수 없게 해 주마. 단 칠월 칠석에만 만나는 것을 허락하겠다.

옥황상제가

3주

칠석? 칠석이 언제지?

칠석은 음력 7월 7일을 말하지.

여러분, 감사해요. 덕분에 남편을 만날 수 있게 되었어요.

그럼 직녀님과 견우님 사이에 다리를 놓을 수 있는 방법을 찾아봅시다!

⭐ 이번 주에 배울 한자들이 그림 속에 숨어 있어요. 보기의 순서대로 한자를 찾아 따라가 직녀가 견우를 만날 수 있게 해 주세요.

보기

春 봄춘 → 夏 여름하 → 秋 가을추 → 冬 겨울동 → 七 일곱칠
→ 夕 저녁석 → 每 매양매 → 月 달월 → 來 올래 → 日 날일

春 夏

봄 춘   여름 하

🔍 다음 글을 읽고, 오늘 배울 한자를 확인해 보세요.

꽃향기가 물씬 풍기는 봄[春]이 왔어요.

꽃송이 사이로 작은 꿀벌들이 춤을 추며 날아요.

살랑살랑 코를 간질이는 봄[春]바람을 맞으며 꽃길을 산책했어요.

여름[夏]이 오기 전에 봄[春]을 실컷 즐겨야겠어요.

오늘 배울 한자

春 夏

봄 춘   여름 하

✏️ 연하게 쓰인 한자를 따라 써 본 후, 빈칸에 바르게 쓰세요.

봄 춘

햇볕을 받아 언덕에 풀이 돋아나는 모습을 본뜬 글자로, **풀의 싹이 움트는 계절**을 뜻해요.

QR을 보며 따라 써요!

春	春	春	春	春	春
봄 춘	봄 춘	봄 춘	봄 춘	봄 춘	봄 춘

3주

여름 하

머리와 손과 발이 온전한 한 사람의 모습을 본뜬 글자로, 후에 의미가 변하여 **여름**을 뜻하게 되었어요.

QR을 보며 따라 써요!

夏	夏	夏	夏	夏	夏
여름 하	여름 하	여름 하	여름 하	여름 하	여름 하

春 봄 춘 | 夏 여름 하

한자어를 익혀요

엄마는 계절 중에 춘하(春夏)를 좋아해. 봄이 되니 어디론가 떠나고 싶어지네.

입춘(立春)이 엊그제 같은데 춘색(春色)이 한결 뚜렷해졌구나.

꽃향기가 너무 좋아요.

그럼 여행을 가는 건 어때요?

좋아. 하동(夏冬)은 너무 덥거나 추우니 지금이 좋겠어.

맞아요. 곧 입하(立夏)가 되면 날씨도 더워질 거예요.

야호! 바다에 풍덩 빠져서 신나게 노는 건 어때요?

그건 여름에 하자. 아직 춥거든.

그럼 단풍 구경은 어때요? 아니면 눈썰매 타기?

춘일(春日)에 단풍이랑 눈썰매라니.

우주야, 계절 공부부터 다시 해야겠구나.

'春(봄 춘)'과 '夏(여름 하)'가 들어간 한자어를 알아봅시다.

 봄 춘

 여름 하

입춘(立春)

| 立 | |
| 설 립 | 봄 춘 |

'효'은 낱말의 맨 앞에 올 때 '입' 이라고 읽어요.

뜻 이십사절기의 하나로 일 년 중 봄이 시작된다는 날

춘하(春夏)

| 春 | |
| 봄 춘 | 여름 하 |

뜻 봄과 여름

춘색(春色)

| | 色 |
| 봄 춘 | 빛 색 |

뜻 봄철을 느끼게 하는 경치나 분위기

하동(夏冬)

| | 冬 |
| 여름 하 | 겨울 동 |

뜻 여름과 겨울

춘일(春日)

| | 日 |
| 봄 춘 | 날 일 |

뜻 봄철의 날

입하(立夏)

| 立 | |
| 설 립 | 여름 하 |

뜻 이십사절기의 하나로 일 년 중 여름이 시작된다는 날

春 봄 춘 ｜ 夏 여름 하

기초 실력을 키워요

한자 확인

1 다음 한자의 뜻과 음(소리)으로 알맞은 것을 찾아 ○표 하세요.

春

봄 춘 ／ 수풀 림

夏

그럴 연 ／ 여름 하

어휘 확인

2 다음 뜻에 해당하는 낱말을 찾아 선으로 이으세요.

여름과 겨울 ·

이십사절기의 하나로 일 년
중 여름이 시작된다는 날 ·

· 입하

· 하동

어휘 확인

3 그림 속 내용이 맞으면 '예', 틀리면 '아니요'에 ○표 하세요.

'立春'은 '입춘'
이라고 읽습니다.

예

아니요

'春日'은
'봄과 여름'이라는
뜻입니다.

예

아니요

급수 유형

4 다음 밑줄 친 한자어의 음(소리)을 쓰세요.

(1) 우리 가족은 화창한 <u>春日</u>에 여행을 떠났습니다. → (   )

(2) <u>立春</u>이 되니 날씨가 따뜻해졌습니다. → (   )

급수 유형

5 다음 뜻과 음(소리)에 맞는 한자를 보기 에서 찾아 그 번호를 쓰세요.

보기

①夏   ②春   ③木   ④生

(1) 봄 춘 → (   )

(2) 여름 하 → (   )

급수 유형

6 다음 밑줄 친 낱말에 해당하는 한자어를 보기 에서 찾아 그 번호를 쓰세요.

보기

①春夏   ②立春   ③立夏   ④夏冬

(1) 오늘은 <u>입하</u>로 날씨가 덥습니다. → (   )

(2) 올해 <u>춘하</u>에는 유례없는 더위가 예상됩니다. → (   )

秋 冬

가을 추　　겨울 동

🔍 다음 글을 읽고, 오늘 배울 한자를 확인해 보세요.

가을[秋]이 되어 찬 바람이 불기 시작하더니

어느새 겨울[冬]이 되었어요.

아침에 눈을 뜨니 밤새 내린 눈으로

세상이 온통 하얗게 변해 있었어요.

나무에는 눈이 하얗게 내려 풍경이 무척 아름다웠어요.

나는 겨울[冬]이 참 좋아요.

오늘 배울 한자

秋 冬

가을 추　　겨울 동

연하게 쓰인 한자를 따라 써 본 후, 빈칸에 바르게 쓰세요.

가을 추

禾(벼 화)와 火(불 화)가 합쳐진 글자예요. 햇볕[火]을 받아 잘 익은 곡식[禾]을 거둬들이는 계절이라는 데서 **가을**을 뜻해요.

QR을 보며 따라 써요!

秋	秋	秋	秋	秋	秋
가을 추	가을 추	가을 추	가을 추	가을 추	가을 추

3주

겨울 동

노끈 양쪽 끝의 매듭 모양을 본뜬 글자에 冫(얼음 빙)을 붙여 계절의 끝이면서 얼음이 어는 계절인 **겨울**을 뜻하게 되었어요.

QR을 보며 따라 써요!

冬	冬	冬	冬	冬	冬
겨울 동	겨울 동	겨울 동	겨울 동	겨울 동	겨울 동

넌 어떤 계절을 가장 좋아하니?

난 가을을 좋아해.

가을을 좋아하는 이유가 뭐야?

높고 푸른 추천(秋天)을 좋아하거든. 그리고 추석(秋夕)이 있어서 좋아.

그렇구나. 난 저런 동목(冬木)이 멋있어서 겨울을 좋아하는데.

참, 내일이 할아버지 생신인데 선물로 뭐가 좋을까?

할아버지 춘추(春秋)가 어떻게 되시는데?

일흔이셔.

삼동(三冬) 잘 이겨 내시라고 목도리를 선물해 드리는 건 어때?

좋아! 동휴(冬休)에 꼭 목도리를 하고 여행을 가자고 말씀드려야지.

우주야, 멋지다. 효도도 잘하는구나!

🔍 '秋(가을 추)'와 '冬(겨울 동)'이 들어간 한자어를 알아봅시다.

 가을 추

 겨울 동

추천(秋天)

| 가을 추 | 하늘 천 |

뜻 가을철의 하늘

동목(冬木)

| 겨울 동 | 나무 목 |

뜻 겨울이 되어 잎이 떨어진 나무

추석(秋夕)

| 가을 추 | 저녁 석 |

뜻 우리나라 명절의 하나로 음력 팔월 보름날

삼동(三冬)

| 석 삼 | 겨울 동 |

뜻 겨울의 석 달

춘추(春秋)

| 봄 춘 | 가을 추 |

뜻 봄과 가을. 또는 어른의 나이를 높여 이르는 말

동휴(冬休)

| 겨울 동 | 쉴 휴 |

뜻 겨울철에 쉼. 겨울 휴가

한자 확인

1 다음 그림과 관련된 뜻과 음(소리), 한자를 찾아 선으로 이으세요.

 ·

 ·

· 가을 추 · · 秋

· 겨울 동 · · 冬

어휘 확인

2 다음 설명 에 해당하는 한자어를 찾아 ◯표 하세요.

설명

겨울의 석 달

春秋   三冬   冬木

어휘 확인

3 ◯에 알맞은 글자를 넣어 낱말을 만드세요.

우리나라 명절의 하나
로 음력 팔월 보름날

 ◯석

겨울철에 쉼.
겨울 휴가

 ◯휴

급수 유형

4 다음 밑줄 친 한자어의 음(소리)을 쓰세요.

(1) 할머니의 **春秋**는 여든이십니다. → (   )

(2) 이번 **三冬**에는 매서운 추위가 예상됩니다. → (   )

급수 유형

5 보기 와 같이 다음 한자의 뜻과 음(소리)을 쓰세요

┌─ 보기 ──────────────────────────────┐
│   │
│   春 → 봄 춘   │
│   │
└──────────────────────────────────────┘

(1) 秋 → (   )

(2) 冬 → (   )

급수 유형

6 다음 뜻에 맞는 한자어를 보기 에서 찾아 그 번호를 쓰세요.

┌─ 보기 ──────────────────────────────┐
│   │
│   ① 春秋   ② 冬木   ③ 三冬   ④ 秋天   │
│   │
└──────────────────────────────────────┘

(1) 겨울이 되어 잎이 떨어진 나무 → (   )

(2) 가을철의 하늘 → (   )

七 夕

일곱 칠 　 저녁 석

🔍 다음 글을 읽고, 오늘 배울 한자를 확인해 보세요.

칠석(七夕)날이에요.
칠석(七夕)에는 직녀와 견우가
까치와 까마귀들이 만들어 준 오작교에서
일 년에 한 번 만난다는 전설이 있어요.
견우와 직녀는 서로 얼마나 보고 싶었을까요?
견우와 직녀가 만나는 상상을 해 보니
마음이 따뜻해졌어요.

오늘 배울 한자

七 夕

일곱 칠 　 저녁 석

일곱 칠

일곱이라는 뜻이에요. '十(열 십)'과 구분하려고 끝을 구부려 썼어요.

QR을 보며 따라 써요!

七	七	七	七	七	七
일곱 칠	일곱 칠	일곱 칠	일곱 칠	일곱 칠	일곱 칠

3주

저녁 석

초승달의 모양을 본뜬 글자예요. 달은 대부분 저녁에 뜬다는 데서 **저녁**이라는 뜻을 나타내요.

QR을 보며 따라 써요!

夕	夕	夕	夕	夕	夕
저녁 석	저녁 석	저녁 석	저녁 석	저녁 석	저녁 석

🔍 '七(일곱 칠)'과 '夕(저녁 석)'이 들어간 한자어를 알아봅시다.

七 일곱 칠

夕 저녁 석

칠월(七月)

月

| 일곱 칠 | 달 월 |

뜻 한 해의 열두 달 가운데 일곱째 달

석일(夕日)

日

| 저녁 석 | 날 일 |

뜻 저녁때의 저무는 해

칠석(七夕)

夕

| 일곱 칠 | 저녁 석 |

뜻 음력 7월 7일로, 전설 속 견우와 직녀가 만나는 날

중석(中夕)

中

| 가운데 중 | 저녁 석 |

뜻 밤이 깊은 때

칠천(七千)

千

| 일곱 칠 | 일천 천 |

뜻 7000. 1000을 일곱 번 더한 수

석식(夕食)

食

| 저녁 석 | 밥/먹을 식 |

뜻 저녁에 끼니로 먹는 밥

七 일곱 칠 | 夕 저녁 석

기초 실력을 키워요

한자 확인

1 다음 한자의 뜻과 음(소리)을 쓰세요.

七 ( )을/를 뜻하고, ( )(이)라고 읽습니다.

夕 ( )을/를 뜻하고, ( )(이)라고 읽습니다.

어휘 확인

2 **힌트**를 보고 다음 빈칸에 들어갈 알맞은 글자를 써넣으세요.

월

천

힌트
- □월: 한 해의 열두 달 가운데 일곱째 달
- □천: 7000. 1000을 일곱 번 더한 수

어휘 확인

3 다음 한자어의 뜻을 바르게 나타낸 것에 ∨표 하세요.

夕日

□ 저녁때의 저무는 해

□ 저녁에 끼니로 먹는 밥

기초 집중 연습

급수 유형

4 다음 밑줄 친 한자어의 음(소리)을 쓰세요.

(1) 七夕에는 견우와 직녀의 전설이 전해 내려옵니다. → (　　　　　)

(2) 숙제를 마치니 시간이 中夕이 되었습니다. → (　　　　　)

급수 유형

5 다음 뜻과 음(소리)에 맞는 한자를 보기 에서 찾아 그 번호를 쓰세요.

보기

① 夕　　　② 秋　　　③ 夏　　　④ 七

(1) 일곱 칠 → (　　　　　)

(2) 저녁 석 → (　　　　　)

급수 유형

6 다음 밑줄 친 낱말에 해당하는 한자어를 보기 에서 찾아 그 번호를 쓰세요.

보기

① 夕食　　　② 七夕　　　③ 七月　　　④ 夕日

(1) 칠월에 있을 여름 방학이 기다려집니다. → (　　　　　)

(2) 어느새 석식 시간이 되어 배가 고파졌습니다. → (　　　　　)

每 月

매양 매   달 월

🔍 다음 글을 읽고, 오늘 배울 한자를 확인해 보세요.

친구들과 함께 쓰레기를 줍는 봉사 활동을 했어요.

학교 주변이 깨끗해진 것을 보니 내 마음도 깨끗해지는 것 같았어요.

매(每)사에 쓰레기를 줄이기 위해 노력하고,

친구들과 함께 달[月]마다 봉사 활동을 하기로 다짐했어요.

'지구야, 그동안 미안했어. 앞으로는 더 사랑해 줄게!'

오늘 배울 한자

每 月

매양 매   달 월

✏️ **연하게 쓰인 한자를 따라 써 본 후, 빈칸에 바르게 쓰세요.**

매양 매

아이를 사랑하는 어머니의 마음이 한결같다는
것을 나타낸 글자로, **매양**, **마다**를 뜻해요.

QR을 보며 따라 써요!

每	每	每	每	每	每
매양 매	매양 매	매양 매	매양 매	매양 매	매양 매

달 월

초승달을 본뜬 글자예요. 그래서 **달**을 뜻해요.
달이 차오르고 지는 동안이 한 달이니까 한 달을
셀 때 쓰기도 해요.

QR을 보며 따라 써요!

月	月	月	月	月	月
달 월	달 월	달 월	달 월	달 월	달 월

3주

4일
시간 한자

每 매양 매 | 月 달 월

한자어를 익혀요

청소를 하니까 화단이 깨끗해졌어.

어, 정말이네.

이것 봐. 쓰레기를 치우니까 화단에 꽃이 더 예뻐진 것 같아.

매일(每日) 이렇게 깨끗하면 좋으련만.

매사(每事)에 쓰레기를 줄이려는 노력이 필요한 것 같아.

우리 매월(每月) 쓰레기를 줍는 봉사 활동을 하는 건 어때?

좋아! 매인(每人)의 노력이 환경을 지키는 데 도움이 될 거야.

월중(月中) 행사로 봉사 활동을 하면 되겠다.

내월(來月)에도 꼭 함께하자!

지구는 이 우주가 지킨다!

하하, 우주야. 네 주머니 청소부터 먼저 해야겠어.

스륵

우수수

🔍 '每(매양 매)'와 '月(달 월)'이 들어간 한자어를 알아봅시다.

每 매양 매

月 달 월

매일(每日)

| 매양 매 | 날 일 |

뜻 하루하루의 모든 날. 날마다

매월(每月)

| 매양 매 | 달 월 |

뜻 달마다

매사(每事)

| 매양 매 | 일 사 |

뜻 일마다. 모든 일

월중(月中)

| 달 월 | 가운데 중 |

뜻 그달 동안

매인(每人)

| 매양 매 | 사람 인 |

뜻 한 사람 한 사람

내월(來月)

'來'는 낱말의 맨 앞에 올 때 '내'라고 읽어요.

| 올 래 | 달 월 |

뜻 이달의 바로 다음 달

每 매양 매 | 月 달 월

기초 실력을 키워요

🐱 한자 확인

1 다음 뜻과 음(소리)에 해당하는 한자를 찾아 ◯표 하세요.

🐻 어휘 확인

2 다음에서 '매양 매(每)'가 들어 있는 낱말을 찾아 ◯표 하세요.

송골매

매점

매일

🐻 어휘 확인

3 다음 뜻에 해당하는 낱말을 찾아 선으로 이으세요.

이달의 바로 다음 달 •

• 내월

• 매월

2 보기 와 같이 다음 한자의 뜻과 음(소리)을 쓰세요.

> **보기**
>
> 夕 ➔ 저녁 석

(1) 每 ➔ (   )

(2) 月 ➔ (   )

5 다음 밑줄 친 낱말에 해당하는 한자어를 보기 에서 찾아 그 번호를 쓰세요.

> **보기**
>
> ① 每日   ② 每人   ③ 每事   ④ 月中

(1) 매사에 긍정적인 태도로 최선을 다해야 합니다. ➔ (   )

(2) 이번 달 월중 행사로 학예회가 있습니다. ➔ (   )

6 다음 뜻에 맞는 한자어를 보기 에서 찾아 그 번호를 쓰세요.

> **보기**
>
> ① 每人   ② 每月   ③ 每事   ④ 每日

(1) 한 사람 한 사람 ➔ (   )

(2) 달마다 ➔ (   )

來 日

올 래   날 일

🔍 다음 글을 읽고, 오늘 배울 한자를 확인해 보세요.

나는 도서관을 참 좋아해요.

도서관에 있는 책들을 보면 마치

책들이 나에게 재미있는 이야기를 들려주는 것 같아요.

내일(來日) 친구들과 도서관에 가기로 했어요.

책들이 또 어떤 재미있는 이야기를 들려줄까요?

오늘 배울 한자

來 日

올 래   날 일

올 래

본래는 보리의 이삭 모양을 본뜬 글자로, 후에 의미가 변하여 **오다**라는 뜻을 나타내요.

QR을 보며 따라 써요!

來	來	來	來	來	來
올 래	올 래	올 래	올 래	올 래	올 래

날 일

햇살이 퍼지는 모습을 본뜬 글자예요. 그래서 해를 뜻해요. **해**가 떠 있는 동안이 하루이니까 날도 뜻하게 되었어요.

QR을 보며 따라 써요!

日	日	日	日	日	日
날 일	날 일	날 일	날 일	날 일	날 일

3주

5일

시간 한자

來 올 래 | 日 날 일

한자어를 익혀요

🔍 '來(올 래)'와 '日(날 일)'이 들어간 한자어를 알아봅시다.

외래(外來)

外	
바깥 외	올 래

뜻 다른 나라에서 옴.

일시(日時)

	時
날 일	때 시

뜻 날짜와 시간

내일(來日)

	日
올 래	날 일

뜻 오늘의 바로 다음 날

'來'는 낱말의 맨 앞에 올 때 '내'라고 읽어요.

일간(日間)

	間
날 일	사이 간

뜻 아침부터 저녁까지

내세(來世)

	世
올 래	인간 세

뜻 다시 태어나 산다는 미래의 세상

일기(日記)

	記
날 일	기록할 기

뜻 겪은 일이나 느낌 등을 날마다 적음.

5일

來 올래 | 日 날일

기초 실력을 키워요

한자 확인

1 다음 한자의 뜻과 음(소리)으로 알맞은 것을 찾아 선으로 이으세요.

來

日

올 래　　　매양 매　　　날 일　　　달 월

어휘 확인

2 낱말판에서 **설명** 에 해당하는 낱말을 찾아 ○표 하세요.

내	세	외
기	일	시
월	간	래

설명

다시 태어나 산다는 미래의 세상

어휘 확인

3 다음 문장에 들어갈 말로 어울리는 한자어를 찾아 ○표 하세요.

새해를 맞아 (日間 / 日記) 계획표를 짜서
매일 실천하고 있습니다.

급수 유형

4 다음 밑줄 친 한자어의 음(소리)을 쓰세요.

(1) 크리스마스가 **來日**로 다가왔습니다. ➔ (   )

(2) 매일 저녁에 **日記**를 쓰며 일과를 정리합니다. ➔ (   )

급수 유형

5 다음 뜻과 음(소리)에 맞는 한자를 보기 에서 찾아 그 번호를 쓰세요.

보기

① 日   ② 來   ③ 每   ④ 月

(1) 올 래 ➔ (   )

(2) 날 일 ➔ (   )

급수 유형

6 다음 밑줄 친 낱말에 해당하는 한자어를 보기 에서 찾아 그 번호를 쓰세요.

보기

① 日間   ② 外來   ③ 來世   ④ 日時

(1) 무분별한 외래어 사용을 자제해야 합니다. ➔ (   )

(2) 회의 일시가 미뤄졌습니다. ➔ (   )

3_주

1 다음 그림이 나타내는 한자를 선으로 이으세요.

 ·

春

冬

2 다음 밑줄 친 한자어의 음(소리)을 쓰세요.

立夏가 되니 날씨가 더워졌습니다.

→ (　　　　　　)

3 보기 와 같이 다음 한자의 뜻과 음(소리)을 쓰세요.

보기

春 → 봄 춘

● 秋 → (　　　　　　)

4 다음 ☐ 안에 들어갈 한자어를 보기 에서 찾아 그 번호를 쓰세요.

보기

① 春日　② 春夏　③ 冬木

● ☐☐에 새하얀 눈꽃이 피었습니다. → (　　　　　　)

5 다음 ☐ 안에 들어갈 한자를 보기 에서 찾아 그 번호를 쓰세요.

보기

① 冬　　② 每　　③ 春

● 올해 할머니의 ☐秋는 일흔입니다. → (　　　　　　)

6 다음 밑줄 친 낱말에 해당하는 한자어를 보기 에서 찾아 그 번호를 쓰세요.

보기
① 秋夕 ② 每月 ③ 來日

● <u>추석</u>에는 송편을 먹습니다.

→ ( )

7 다음 한자의 뜻을 보기 에서 찾아 그 번호를 쓰세요.

보기
① 오다 ② 매양 ③ 달

(1) 每 → ( )

(2) 月 → ( )

8 다음 뜻에 해당하는 한자어를 찾아 선으로 이으세요.

오늘의
바로 다음날

· 來世

· 來日

9 다음 십자말풀이를 보고 □ 안에 들어갈 알맞은 한자를 보기 에서 찾아 그 번호를 쓰세요. → ( )

보기
① 來 ② 月 ③ 日

→ 내□: 오늘의
바로 다음 날

↓ □간: 아침부
터 저녁까지

10 다음 밑줄 친 낱말에 해당하는 한자어를 보기 에서 찾아 그 번호를 쓰세요.

보기
① 來日 ② 每日 ③ 每月

● <u>매일</u> 저녁 일기를 씁니다.

→ ( )

3주

📖 국어+한문 다음 만화를 읽고, 성어의 뜻을 생각해 보세요.

一 日 三 秋

한 **일**　　날 **일**　　석 **삼**　　가을 **추**

◐ 정답 15쪽

◆ 성어의 뜻을 살펴보며 빈칸에 알맞은 한자를 채우세요.

→ '하루가 삼 년 같다.'라는 뜻으로, 몹시 애태우며 기다림을 이르는 말

코딩+한문 다음 순서도에 따라 움직였을 때 도착하는 곳에 ◯표 해 보세요.

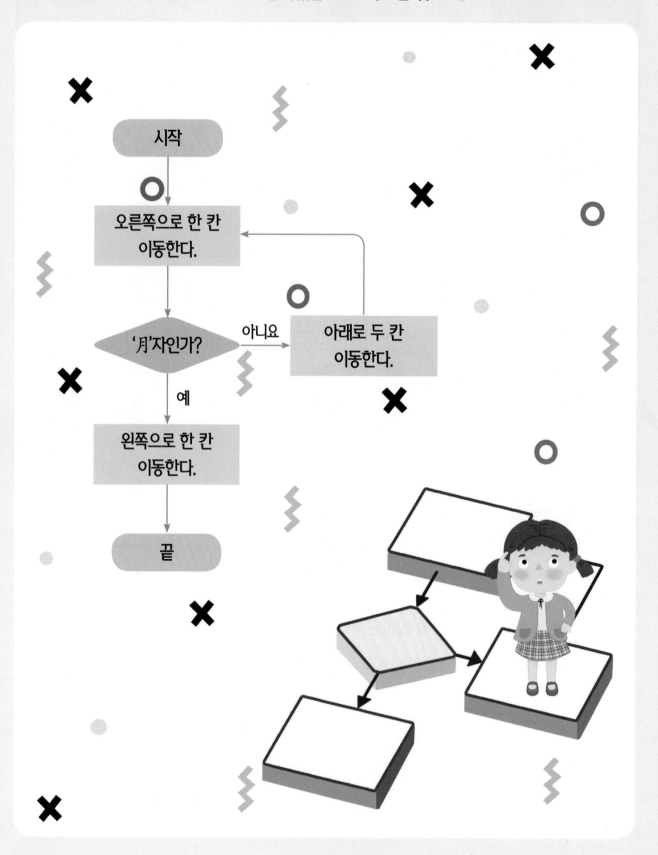

출발▶	春	冬	月	七
每	來	七	冬	月
月	春	每	月	來
冬	七	春	每	來
春	來	每	七	月
冬	來	春	七	每
七	每	來	春	月

3주 특강 생각을 키워요 ③

창의·융합·코딩

실과+한문 다음은 봄, 여름, 가을, 겨울의 모습을 나타낸 그림입니다. 그림을 보고, 물음에 답해 보세요.

(1)

(2)

(3)

(4)

1 (1)~(4)에 해당하는 계절을 한자로 쓰세요.

답 (1)  (2) (3) (4)

2 (4)에 해당하는 계절의 옷차림으로 알맞은 것은 어느 것입니까? (　　　)

① 얇은 옷을 입습니다.

② 소매가 짧은 옷을 입습니다.

③ 시원하게 바람이 통하는 옷을 입습니다.

④ 따뜻한 옷을 입고 목도리를 착용합니다.

3 다음 밑줄 친 한자어의 음(소리)을 쓰세요.

來日 봄맞이 현장 학습을 가는데 어떤 옷을 입으면 좋을까?

봄이니까 얇은 겉옷을 준비하고, 활동하기 편한 옷을 입는 것이 좋아.

답 ～～～～～～～～～

4주에는 무엇을 공부할까? ①

탐정님, 의뢰할 게 있습니다.

네, 무슨 일이시죠?

탐정 사무소

누군가가 제 풍선 10개를 가지고 사라졌어요. 친구들과 나누려고 산 풍선인데…….

잘 찾아오셨어요. 잃어버린 물건을 찾는 것도 저희의 임무이죠.

감사합니다.

사건을 해결할 수 있는 단서가 있을까요?

이 쪽지가 있었어요.

1일 前 앞 전 | 後 뒤 후   **2**일 左 왼 좌 | 右 오른 우   **3**일 東 동녘 동 | 西 서녘 서

4일 南 남녘 남 | 北 북녘 북/ 달아날 배   **5**일 四 넉 사 | 方 모 방

풍선을 찾고 싶겠지?
풍선은 ○○동물원에 있어.
풍선은 四方에 흩어져 있으니 前後左右,
東西南北으로 열심히 찾아야 할 거야.
풍선을 모두 찾고 싶거든 내가 있는 ○○
동물원으로 와. 10개의 풍선을 모두 찾으
면 내가 보일 거야.
수수께끼 같지? 하하. 잘 찾아보시게나.
　　　　　　　　　　　　풍선 도둑으로부터

풍선을 찾고 싶겠지?
풍선은 ○○동물원에 있어.
풍선은 사방에 흩어져 있으니 전후좌우,
동서남북으로 열심히 찾아야 할 거야.
풍선을 모두 찾고 싶거든 내가 있는 ○○
동물원으로 와. 10개의 풍선을 모두 찾으
면 내가 보일 거야.
수수께끼 같지? 하하. 잘 찾아보시게나.
　　　　　　　　　　　　풍선 도둑으로부터

4주

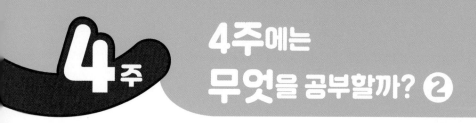
✱ 보기 속 한자의 뜻과 음(소리)을 확인하면서 이번 주에 배울 한자에 해당하는 풍선을 색칠해 보세요. 그리고 색칠하지 않은 풍선을 들고 있는 풍선 도둑을 찾아 ◯표 해 보세요.

| 前 앞 전 | 後 뒤 후 | 左 왼 좌 | 右 오른 우 | 東 동녘 동 |
| 西 서녘 서 | 南 남녘 남 | 北 북녘 북/ 달아날 배 | 四 넉 사 | 方 모 방 |

前 後
앞 전　　　뒤 후

🔍 다음 글을 읽고, 오늘 배울 한자를 확인해 보세요.

나는 물건을 잘 망가뜨리는 편이에요.

물건을 떨어뜨리거나 잘못 만져서 물건이 망가질 때가 많아요.

시계, 장난감뿐만 아니라 휴대 전화도 망가뜨린 적이 있어요.

일이 일어난 후(後)에는 나는 왜 이렇게 조심성이 없는지 반성하게 돼요.

사전(前)에 조심, 또 조심하는 습관을 들여야겠어요.

오늘 배울 한자

前 後
앞 전　　뒤 후

앞 전

앞으로 나아가는 것을 나타낸 글자로, 앞을 뜻해요.

QR을 보며 따라 써요!

前	前	前	前	前	前
앞 전	앞 전	앞 전	앞 전	앞 전	앞 전

뒤 후

길을 갈 때 걸음이 더뎌 뒤처짐을 나타내는 글자로, 뒤를 뜻해요.

QR을 보며 따라 써요!

4주

後	後	後	後	後	後
뒤 후	뒤 후	뒤 후	뒤 후	뒤 후	뒤 후

1일

방향 한자

前 앞 전 | 後 뒤 후

한자어를 익혀요

우주야, 네 앞에 있는 엄마 휴대 전화 좀 주겠니?

네. 여기 있어요.

턱

어! 이런!

미끌

팍

우주야, 조심했어야지. 어디 다친 곳은 없니?

네. 죄송해요.

휴대전화 전면(前面)이 다 망가져 버렸네. 사전(事前)에 조심해야 해.

전후(前後) 사정을 말씀드릴게요.

저는 잘 전달했다고 생각했는데, 손에서 놓은 직후(直後)에 바닥으로 떨어져 버렸어요.

전년(前年)에도 그러더니 올해에도 그랬구나.

후년(後年)쯤에는 괜찮지 않을까요? 헤헤.

하하. 이 녀석!

🔍 '前(앞 전)'과 '後(뒤 후)'가 들어간 한자어를 알아봅시다.

前 앞전

後 뒤후

전면(前面)

面	
앞 전	낯 면

😀 물체의 앞쪽 면

전후(前後)

前	
앞 전	뒤 후

😀 앞과 뒤. 또는 먼저와 나중

사전(事前)

事	
일 사	앞 전

😀 일이 일어나기 전

직후(直後)

直	
곧을 직	뒤 후

😀 어떤 일이 있고 난 바로 다음

전년(前年)

年	
앞 전	해 년

😀 이해의 바로 앞의 해

후년(後年)

年	
뒤 후	해 년

😀 올해의 다음다음 해

4주

한자 확인

1 다음 한자의 뜻과 음(소리)으로 알맞은 것을 찾아 선으로 이으세요.

前 ·

· 앞 ·

· 후

後 ·

· 뒤 ·

· 전

어휘 확인

2 힌트를 보고 다음 빈칸에 들어갈 알맞은 한자를 써넣으세요.

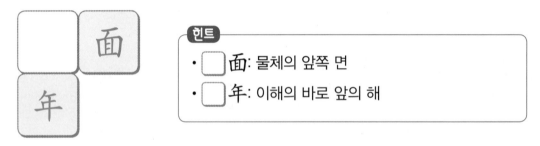

面

年

힌트
· □面: 물체의 앞쪽 면
· □年: 이해의 바로 앞의 해

어휘 확인

3 다음 설명에 해당하는 한자어를 찾아 ○표 하세요.

설명

앞과 뒤. 또는 먼저와 나중

事前   前後   直後

급수 유형

4 다음 밑줄 친 한자어의 음(소리)을 쓰세요.

(1) 점검을 통해 안전사고를 <u>事前</u>에 예방하는 것이 좋습니다. → (   )

(2) 수업이 끝난 <u>直後</u>에 친구와 만나기로 했습니다. → (   )

급수 유형

5 보기와 같이 다음 한자의 뜻과 음(소리)을 쓰세요.

보기

日 → 날 일

(1) 前 → (   )

(2) 後 → (   )

급수 유형

6 다음 뜻에 맞는 한자어를 보기에서 찾아 그 번호를 쓰세요.

보기

① 後年   ② 前年   ③ 前後   ④ 事前

(1) 올해의 다음다음 해 → (   )

(2) 이해의 바로 앞의 해 → (   )

左 右

왼 좌　　오른 우

🔍 다음 글을 읽고, 오늘 배울 한자를 확인해 보세요.

내 왼쪽[左] 자리는 노을이 자리예요.

노을이는 수업에 항상 열심히 참여해요.

하지만 노을이의 오른쪽[右]에 앉는 나는

수업 시간에 종종 다른 생각을 하기도 해요.

게임 생각도 하고, 집에 있는 맛있는 간식 생각도 해요.

앞으로는 노을이처럼 수업에 집중하는 태도를 지녀야겠어요.

오늘 배울 한자

左 右

왼 좌　　오른 우

왼 좌

도구를 쥐고 오른손이 하는 일을 돕는 왼손의 모양을 그린 글자로, **왼쪽**을 뜻해요.

QR을 보며 따라 써요!

左	左	左	左	左	左
왼 좌	왼 좌	왼 좌	왼 좌	왼 좌	왼 좌

오른 우

입에 밥을 넣는 손인 오른손의 모양을 나타낸 글자로, **오른쪽**을 뜻해요.

QR을 보며 따라 써요!

4주

右	右	右	右	右	右
오른 우	오른 우	오른 우	오른 우	오른 우	오른 우

左 왼 좌 | 右 오른 우

한자어를 익혀요

🔍 '左(왼 좌)'와 '右(오른 우)'가 들어간 한자어를 알아봅시다.

 左 왼 좌

 右 오른 우

좌면(左面)

	面
왼 좌	낯 면

뜻 북쪽을 향하였을 때의 서쪽과 같은 쪽

우면(右面)

	面
오른 우	낯 면

뜻 북쪽을 향하였을 때의 동쪽과 같은 쪽

좌수(左手)

	手
왼 좌	손 수

뜻 왼쪽 손

우방(右方)

	方
오른 우	모 방

 뜻 오른쪽

좌우(左右)

	右
왼 좌	오른 우

뜻 왼쪽과 오른쪽

좌우간(左右間)

左		間
왼 좌	오른 우	사이 간

뜻 이렇든 저렇든 어떻든 간

4주

左 왼 좌 | 右 오른 우

기초 실력을 키워요

한자 확인

1 다음 한자의 뜻과 음(소리)으로 알맞은 것을 찾아 선으로 이으세요.

左

右

뒤 후   왼 좌   앞 전   오른 우

어휘 확인

2 다음 한자어의 뜻을 바르게 나타낸 것에 ✔표 하세요.

左右

☐ 왼쪽과 오른쪽

☐ 이렇든 저렇든 어떻든 간

어휘 확인

3 다음 뜻에 해당하는 한자어를 찾아 선으로 이으세요.

왼쪽 손

左手

右方

급수 유형

4 다음 밑줄 친 한자어의 음(소리)을 쓰세요.

(1) 횡단보도를 건너기 전에 <u>左右</u>를 살핍니다. → (   )

(2) <u>左右間</u>에 다시 도전하기로 했습니다. → (   )

급수 유형

5 다음 뜻과 음(소리)에 맞는 한자를 보기 에서 찾아 그 번호를 쓰세요.

보기

① 前   ② 右   ③ 左   ④ 後

(1) 왼 좌 → (   )

(2) 오른 우 → (   )

급수 유형

6 다음 밑줄 친 낱말에 해당하는 한자어를 보기 에서 찾아 그 번호를 쓰세요.

보기

① 右面   ② 左手   ③ 右方   ④ 左右

(1) <u>좌수</u>를 들고 길을 건넜습니다. → (   )

(2) 학교의 <u>우방</u>에 새로운 도서관이 생겼습니다. → (   )

4주

東西

동녘 동   **서녘 서**

🔍 다음 글을 읽고, 오늘 배울 한자를 확인해 보세요.

우주와 함께 방 탈출 게임을 했어요.
동(東)쪽과 서(西)쪽으로 난 문 중에서
서(西)쪽으로 난 문을 선택해야 하는 순간이에요.
어떤 문이 서(西)문일까요?
여러 개의 문 앞에서 고민을 해 보았어요.

오늘 배울 한자

東西

동녘 동   **서녘 서**

✏️ **연하게 쓰인 한자를 따라 써 본 후, 빈칸에 바르게 쓰세요.**

동녘 동

보따리를 꽁꽁 묶어 놓은 모습을 본뜬 글자예요. 후에 의미가 변하여 해가 떠오르는 **동쪽**을 뜻하게 되었어요.

QR을 보며 따라 써요!

東	東	東	東	東	東
동녘 동	동녘 동	동녘 동	동녘 동	동녘 동	동녘 동

서녘 서

새가 둥지에 앉은 모습을 본뜬 글자예요. 해가 넘어갈 때 새가 둥지로 돌아온다는 데서 **서쪽**을 뜻하게 되었어요.

QR을 보며 따라 써요!

西	西	西	西	西	西
서녘 서	서녘 서	서녘 서	서녘 서	서녘 서	서녘 서

4주

🔍 '東(동녘 동)'과 '西(서녘 서)'가 들어간 한자어를 알아봅시다.

 東 동녘 동

 西 서녘 서

동서(東西)

西	
동녘 동	서녘 서

뜻 동쪽과 서쪽

서방(西方)

方	
서녘 서	모 방

뜻 해가 지는 쪽. 서쪽

동문(東門)

門	
동녘 동	문 문

뜻 동쪽으로 난 문

서문(西門)

門	
서녘 서	문 문

뜻 서쪽으로 난 문

동천(東天)

天	
동녘 동	하늘 천

뜻 동쪽 하늘

서향(西向)

向	
서녘 서	향할 향

뜻 서쪽으로 향함.

4주

東 동녘 동 | 西 서녘 서   **기초 실력을 키워요**

1 다음 한자의 뜻과 음(소리)을 쓰세요.

東 ( )을/를 뜻하고, ( )(이) 라고 읽습니다.

西 ( )을/를 뜻하고, ( )(이) 라고 읽습니다.

2 낱말판에서 **설명** 에 해당하는 낱말을 찾아 ◯표 하세요.

전	좌	후
동	서	방
문	천	우

설명
해가 지는 쪽. 서쪽

3 다음 문장의 내용이 맞으면 '예', 틀리면 '아니요'에 ◯표 하세요.

'서향(西向)'은 '서쪽으로 향함.'을 뜻합니다.

 예

 아니요

급수유형

4 다음 밑줄 친 한자어의 음(소리)을 쓰세요.

(1) 東天에 해가 떠오르고 있습니다. → (　　　　　　)

(2) 정문 대신 東門으로 입장하였습니다. → (　　　　　　)

급수유형

5 보기와 같이 다음 한자의 뜻과 음(소리)을 쓰세요.

> 보기
>
> 左 → 왼 좌

(1) 東 → (　　　　　　)

(2) 西 → (　　　　　　)

급수유형

6 다음 뜻에 맞는 한자어를 보기에서 찾아 그 번호를 쓰세요.

> 보기
>
> ① 西方　　　② 東門　　　③ 西門　　　④ 東西

(1) 동쪽과 서쪽 → (　　　　　　)

(2) 서쪽으로 난 문 → (　　　　　　)

南 北

남녘 남   북녘 북/
          달아날 배

🔍 다음 글을 읽고, 오늘 배울 한자를 확인해 보세요.

나는 기차를 타고 여행을 가는 것을 좋아해요.

기차 안에서 바라본 창밖의 풍경이 무척 예쁘기 때문이에요.

이제 곧 기차를 타고 '전북(北)'으로 여행을 떠날 거예요.

남(南)행 열차를 타고 여행을 떠날 생각에 한껏 기분이 들떴어요.

어떤 재미있는 일들이 펼쳐질까요? 벌써 기대가 돼요.

오늘 배울 한자

南 北

남녘 남   북녘 북/
          달아날 배

남녘 남

종 모습을 본뜬 글자예요. 고대 중국의 남쪽 민족이 종을 사용하였다는 데서 **남쪽**을 뜻하게 되었어요.

QR을 보며 따라 써요!

南	南	南	南	南	南
남녘 남	남녘 남	남녘 남	남녘 남	남녘 남	남녘 남

북녘 북/달아날 배

두 사람이 서로 등지고 있는 모습을 나타낸 글자로, 해를 등진 방향인 **북쪽**을 뜻해요. **달아나다**라는 뜻일 때는 '배'로 읽어요.

QR을 보며 따라 써요!

4주

北	北	北	北	北	北
북녘 북/달아날 배	북녘 북/달아날 배	북녘 북/달아날 배	북녘 북/달아날 배	북녘 북/달아날 배	북녘 북/달아날 배

이번 가족 여행은
어디로 가면 좋을까?
남국(南國)? 북국(北國)?

해외여행보다는 국내
여행을 하는 게 어때요?

좋아요! 열차를 타고
남도(南道)로 여행을 가요!

노을아,
좋은 생각이야.

남도 중에서
어느 곳에 가 보고
싶니?

저는 전북(全北)에 가 보고
싶어요. 가서 맛있는 음식을 실컷
먹어 보고 싶어요!

여행
기간의 일기 예보를
살펴봐야겠다.

여행 기간에 장마
전선이 남하(南下)할
예정이래요.

하필 남쪽에 장마라니.
남북(南北)으로 나누어지지 않았다면
북쪽으로 휴가를 갔을 텐데요.

하하.

🔍 '南(남녘 남)'과 '北(북녘 북/달아날 배)'가 들어간 한자어를 알아봅시다.

南 남녘 남

北 북녘 북 / 달아날 배

남국 (南國)

	國
남녘 남	나라 국

뜻 남쪽에 있는 나라

북국 (北國)

	國
북녘 북	나라 국

뜻 북쪽에 있는 나라

남도 (南道)

	道
남녘 남	길 도

뜻 충청도와 전라도, 경상도, 제주도를 통틀어 이르는 말

전북 (全北)

全	
온전 전	북녘 북

뜻 우리나라 서남부에 있는 도. 전라북도

남하 (南下)

	下
남녘 남	아래 하

뜻 남쪽으로 내려감.

남북 (南北)

南	
남녘 남	북녘 북

뜻 남쪽과 북쪽

4주

한자 확인

1 다음 뜻과 음(소리)에 해당하는 한자를 찾아 ○표 하세요.

남녘 남

북녘 북/ 달아날 배

南　西

東　北

어휘 확인

2 다음에서 '북국(北國)'의 뜻을 바르게 설명한 것을 찾아 ○표 하세요.

남쪽에 있는 나라

북쪽에 있는 나라

남쪽과 북쪽

어휘 확인

3 그림 속 내용이 맞으면 '예', 틀리면 '아니요'에 ○표 하세요.

'南國'은 '남국'이라고 읽습니다.

예

아니요

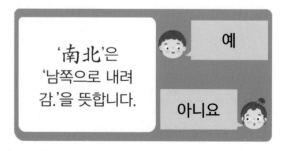

'南北'은 '남쪽으로 내려감.'을 뜻합니다.

예

아니요

급수 유형

4 다음 밑줄 친 한자어의 음(소리)을 쓰세요.

(1) 저녁 식사로 __南道__ 한정식을 먹었습니다. → (   )

(2) 할아버지의 고향은 __全北__입니다. → (   )

급수 유형

5 다음 밑줄 친 낱말에 해당하는 한자어를 보기 에서 찾아 그 번호를 쓰세요.

보기

① 北國   ② 南北   ③ 南國   ④ 南下

(1) 장마 전선이 남하하기 시작했습니다. → (   )

(2) 제주도에서는 남국의 정취를 느낄 수 있습니다. → (   )

급수 유형

6 다음 한자의 상대 또는 반대되는 한자를 보기 에서 찾아 그 번호를 쓰세요.

보기

① 北   ② 西   ③ 左   ④ 東

● 南 ↔ (   )

四 方

넉 사　　모 방

🔍 다음 글을 읽고, 오늘 배울 한자를 확인해 보세요.

군대에 간 사(四)촌 형이 보고 싶어졌어요.

사(四)촌 형은 지방(方)에서 복무 중이에요.

지금쯤 무얼 하고 있을까요? 밥은 잘 먹고 건강히 지낼까요?

내 마음을 담아 사(四)촌 형에게 편지를 썼어요.

그동안 하고 싶었던 말들을 가득 담은 편지가 부끄럽기도

하지만 사(四)촌 형을 보고 싶어 하는

내 마음이 잘 전달되면 좋겠어요.

오늘 배울 한자

四 方

넉 사　　모 방

넉 사

넷이라는 뜻이에요. 처음에는 막대기 네 개를 눕힌 모양이었어요.

QR을 보며 따라 써요!

四	四	四	四	四	四
넉 사	넉 사	넉 사	넉 사	넉 사	넉 사

모 방

소가 끄는 쟁기를 나타낸 글자예요. 소가 일정한 방향으로 나아가며 네모난 밭을 간다는 데서 모, 방향이라는 뜻이 생겼어요.

QR을 보며 따라 써요!

4주

方	方	方	方	方	方
모 방	모 방	모 방	모 방	모 방	모 방

四 넉 사 | 方 모 방

벌써 사월(四月)이네. 사촌(四寸) 형이 군대에 간 지 석 달이 되었어.

우리 사촌 오빠도 해군에 갔는데.

우리 사촌 형은 전방(前方)에서 근무하고 있어.

우리 사촌 오빠는 바다에서 근무하는데, 아침에 해가 뜨면서 사방(四方)이 밝아 올 때 바다가 정말 아름답대.

그렇구나. 탁 트인 바다가 얼마나 아름다울까?

그러게. 나도 가 보고 싶어.

사촌 형이 지방(地方)에 있으니 만나기가 쉽지 않아. 보고 싶은데.

연락해 볼 방도(方道)가 없을까?

위문편지를 써 보는 게 어때?

좋은 생각이야! 사촌 오빠도 좋아할 거야.

🔍 '四(넉 사)'와 '方(모 방)'이 들어간 한자어를 알아봅시다.

 넉 사

 모 방

사월(四月)

四	月
넉 사	달 월

뜻 한 해 열두 달 가운데 넷째 달

전방(前方)

前	方
앞 전	모 방

뜻 적을 바로 마주하고 있는 지역

사촌(四寸)

四	寸
넉 사	마디 촌

뜻 아버지 형제자매의 아들딸

지방(地方)

地	方
땅 지	모 방

뜻 서울 이외의 지역

사방(四方)

四	方
넉 사	모 방

뜻 동, 서, 남, 북 네 방위를 통틀어 이르는 말

방도(方道)

方	道
모 방	길 도

뜻 어떤 일을 하거나 문제를 풀어
가기 위한 방법과 도리

1 다음 한자의 뜻과 음(소리)으로 알맞은 것을 찾아 ◯표 하세요.

四

| 석 삼 | 넉 사 |

方

| 모 방 | 오른 우 |

2 다음 뜻에 해당하는 한자어를 찾아 선으로 이으세요.

적을 바로 마주하고
있는 지역 ·

아버지 형제자매의 아들딸 ·

· 前方

· 四寸

3 다음 문장에 들어갈 말로 어울리는 한자어를 찾아 ◯표 하세요.

봄이 되자 (方道 / 四方)에 꽃이
만발하였습니다.

기초 집중 연습

급수 유형

4 다음 밑줄 친 한자어의 음(소리)을 쓰세요.

(1) 문제를 해결하기 위한 <u>方道</u>를 생각해 보았습니다. ➜ (   )

(2) 여러 <u>地方</u>의 특산품들이 한자리에 모였습니다. ➜ (   )

급수 유형

5 보기와 같이 다음 한자의 뜻과 음(소리)을 쓰세요.

보기

南 ➜ 남녘 남

(1) 四 ➜ (   )

(2) 方 ➜ (   )

급수 유형

6 다음 뜻에 맞는 한자어를 보기에서 찾아 그 번호를 쓰세요.

보기

① 四寸   ② 四月   ③ 前方   ④ 四方

(1) 한 해 열두 달 가운데 넷째 달 ➜ (   )

(2) 동, 서, 남, 북 네 방위를 통틀어 이르는 말 ➜ (   )

4주

4주 누구나 100점 TEST

1 다음 밑줄 친 한자어의 음(소리)을 쓰세요.

前年에 비해 키가 5cm 자랐습니다.

➡ (   )

2 다음 한자의 알맞은 뜻과 음(소리)을 골라 선으로 이으세요.

(1) 後 ·　　· 앞 ·　　· 전

(2) 東 ·　　· 동녘 ·　　· 후

(3) 前 ·　　· 뒤 ·　　· 동

3 보기 와 같이 다음 한자의 뜻과 음(소리)을 쓰세요.

보기

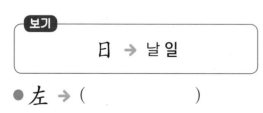

日 ➡ 날 일

● 左 ➡ (   )

4 다음 ☐ 안에 들어갈 한자어를 보기 에서 찾아 그 번호를 쓰세요.

보기

① 右方　② 東天　③ 西門

● 길의 ☐☐에 우체국이 있습니다.

➡ (   )

5 다음 설명 에 해당하는 한자어를 ☐ 안을 채워 완성하세요.

설명

왼쪽과 오른쪽

➡

左☐

6 다음 뜻에 해당하는 한자어를 찾아 선으로 이으세요.

동쪽으로
난 문

· 東門

· 西門

7 다음 한자의 뜻을 보기 에서 찾아 그 번호를 쓰세요.

보기
① 북녘/달아나다   ② 남녘   ③ 모

(1) 北 → (   )

(2) 方 → (   )

8 다음 밑줄 친 한자의 음(소리)을 쓰세요.

해는 (1)東쪽에서 뜨고
(2)西쪽으로 집니다.

(1) (   )

(2) (   )

9 다음 십자말풀이를 보고 □ 안에 들어갈 알맞은 한자를 보기 에서 찾아 그 번호를 쓰세요. → (   )

보기
① 四   ② 南   ③ 北

국

→ □국: 남쪽에 있는 나라

하

↓ □하: 남쪽으로 내려감.

10 다음 밑줄 친 낱말에 해당하는 한자어를 보기 에서 찾아 그 번호를 쓰세요.

보기
① 四方   ② 四月   ③ 四寸

● 사촌과 놀이공원에 갔습니다.

→ (   )

📖 국어+한문 다음 만화를 읽고, 성어의 뜻을 생각해 보세요.

四 方 八 方
넉 **사**　모 **방**　여덟 **팔**　모 **방**

◆ 성어의 뜻을 살펴보며 빈칸에 알맞은 한자를 채우세요.

사	방	팔	방
		八	

→ '사방'이란 '동, 서, 남, 북'을 뜻하고 '팔방'이란 사방에 '북동, 동남, 남서, 서북'을 더한 것으로, 여기저기 모든 방향이나 방면을 이르는 말

4주 특강 생각을 키워요 ②

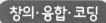

창의·융합·코딩

📖 코딩+한문 다음 조건 에 따라 각 위치의 공을 알맞게 색칠해 보세요.

조건

• 노란색 공은 로봇의 左에 있습니다.
• 초록색 공은 로봇의 右에 있습니다.
• 노란색 공의 左에 빨간색 공이 있습니다.
• 초록색 공의 右에 보라색 공이 있습니다.

📖 **코딩+한문** 그림을 보고, 괄호 안에 들어갈 알맞은 말을 찾아 ◯표 해 보세요.

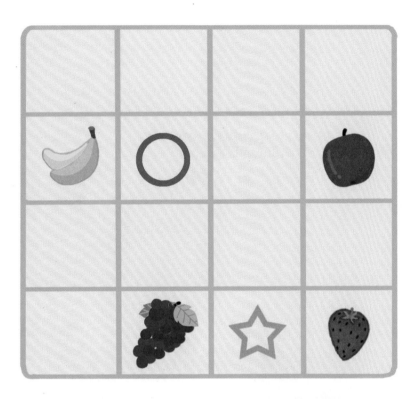

- 바나나에서 (左, 右)로 (2, 3)칸 가면 사과가 있습니다.
- 딸기에서 (左, 右)로 (2, 3)칸 가면 포도가 있습니다.
- 동그라미에서 (左, 右)로 (1, 2)칸 가면 바나나가 있습니다.
- 별에서 (左, 右)로 (1, 2)칸 가면 딸기가 있습니다.

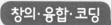

4주 특강 생각을 키워요 ③

창의·융합·코딩

📖 **사회+한문** 다음은 우주네 동네의 모습을 나타낸 그림입니다. 그림을 보고, 물음에 답해 보세요.

1

다음 두 친구의 대화를 읽으며 ☐ 에 알맞은 한자를 쓰세요.

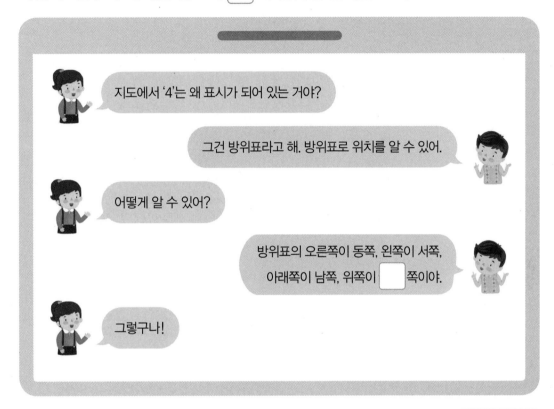

지도에서 '4'는 왜 표시가 되어 있는 거야?

그건 방위표라고 해. 방위표로 위치를 알 수 있어.

어떻게 알 수 있어?

방위표의 오른쪽이 동쪽, 왼쪽이 서쪽,
아래쪽이 남쪽, 위쪽이 ☐ 쪽이야.

그렇구나!

답

4주

2

다음 빈칸에 알맞은 말을 쓰세요.

　　방위표를 이용하면 사람이나 건물이 향한 방향에 관계없이 위치를 나타낼 수 있습니다. 그림에서 시장을 기준으로 북쪽에는 세탁소, 서쪽에는 ＿＿＿＿, 남쪽에는 학교, 동쪽에는 공원이 있습니다.

답 ～～～～～～～～～～～～

[문제 1~5] 다음 밑줄 친 漢字語한자어의 音 (음: 소리)을 쓰세요.

보기

漢字 → 한자

1 산에는 다양한 <u>植物</u>이 살고 있습니다.
( )

2 바람 때문에 배가 <u>左右</u>로 흔들립니다.
( )

3 우리는 <u>來日</u>부터 봉사 활동을 시작합니다. ( )

4 지리산은 우리나라 <u>名山</u> 중 하나입니다.
( )

5 우리는 환경 오염으로부터 <u>自然</u>을 보호해야 합니다. ( )

[문제 6~9] 다음 漢字한자의 訓(훈: 뜻)과 音 (음: 소리)을 쓰세요.

보기

字 → 글자 자

6 靑 ( )

7 林 ( )

8 春 ( )

9 海 ( )

[문제 10~11] 다음 밑줄 친 漢字語한자어를 보기 에서 골라 그 번호를 쓰세요.

보기

① 土木   ② 四方
③ 生命   ④ 秋夕

10 저녁이 되자 <u>사방</u>이 어두워졌습니다.
( )

11 <u>추석</u>을 맞아 온 가족이 송편을 빚었습니다.
( )

[문제 12~14] 다음 訓(훈: 뜻)과 音(음: 소리)에 맞는 漢字한자를 보기에서 골라 그 번호를 쓰세요.

보기
① 空　②草　③月　④花

12 달 월　(　　　　　)

13 빌 공　(　　　　　)

14 풀 초　(　　　　　)

[문제 15~16] 다음 漢字한자의 상대 또는 반대되는 漢字한자를 보기에서 골라 그 번호를 쓰세요.

보기
① 川　②冬　③前　④東

15 (　　　　　) ↔ 西

16 (　　　　　) ↔ 後

[문제 17~18] 다음 뜻에 맞는 漢字語한자어를 보기에서 찾아 그 번호를 쓰세요.

보기
① 南北　②直後
③ 大地　④夏冬

17 여름과 겨울　(　　　　　)

18 남쪽과 북쪽　(　　　　　)

[문제 19~20] 다음 漢字한자의 진하게 표시된 획은 몇 번째 쓰는지 보기에서 찾아 그 번호를 쓰세요.

보기
① 세 번째　② 네 번째
③ 다섯 번째　④ 여섯 번째

19 平　(　　　　　)

20 每　(　　　　　)

[문제 1~5] 다음 밑줄 친 漢字語한자어의 音 (음: 소리)을 쓰세요.

> 보기
>
> 漢字 → 한자

1 우리는 <u>每月</u> 봉사 활동을 합니다.
(   )

2 여름 방학을 맞아 가족과 <u>海水</u>욕장에 놀러 갔습니다.   (   )

3 그는 독립운동에 <u>平生</u>을 바쳤습니다.
(   )

4 그녀는 수상 <u>直後</u> 바로 떠났습니다.
(   )

5 그는 빵을 훔쳤다고 <u>自白</u>했습니다.
(   )

[문제 6~9] 다음 漢字한자의 訓(훈: 뜻)과 音 (음: 소리)을 쓰세요.

> 보기
>
> 字 → 글자 자

6 川 (   )

7 命 (   )

8 七 (   )

9 西 (   )

[문제 10~11] 다음 밑줄 친 漢字語한자어를 보기 에서 골라 그 번호를 쓰세요.

> 보기
>
> ① 四月   ② 東門
> ③ 生花   ④ 江山

10 우리나라에는 아름다운 <u>강산</u>이 많습니다.
(   )

11 그녀는 <u>생화</u>로 꽃병을 꾸몄습니다.
(   )

[문제 12~14] 다음 訓(훈: 뜻)과 音(음: 소리)에 맞는 漢字한자를 보기 에서 골라 그 번호를 쓰세요.

보기

① 夏   ② 氣   ③ 然   ④ 草

12 기운 기   (   )

13 그럴 연   (   )

14 여름 하   (   )

[문제 15~16] 다음 漢字한자의 상대 또는 반대되는 漢字한자를 보기 에서 찾아 그 번호를 쓰세요.

보기

① 來   ② 南   ③ 右   ④ 植

15 (   ) ↔ 左

16 (   ) ↔ 北

[문제 17~18] 다음 뜻에 맞는 漢字語한자어를 보기 에서 골라 그 번호를 쓰세요.

보기

① 林木   ② 春日
③ 事物   ④ 三冬

17 숲의 나무   (   )

18 봄철의 날   (   )

[문제 19~20] 다음 漢字한자의 진하게 표시된 획은 몇 번째 쓰는지 보기 에서 찾아 그 번호를 쓰세요.

보기

① 다섯 번째   ② 여섯 번째
③ 일곱 번째   ④ 여덟 번째

19

地   (   )

20

植   (   )

학습 내용 찾아보기

자연 한자

푸를 청

자연 한자

하늘 천

자연 한자

평평할 평

자연 한자

땅 지

🐼 한자와 뜻·음(소리)을 쓰세요.

| 天 | 뜻 _____ |
| | 음 _____ |

🐼 한자와 뜻·음(소리)을 쓰세요.

| 靑 | 뜻 _____ |
| | 음 _____ |

🐼 한자와 뜻·음(소리)을 쓰세요.

| 地 | 뜻 _____ |
| | 음 _____ |

🐼 한자와 뜻·음(소리)을 쓰세요.

| 平 | 뜻 _____ |
| | 음 _____ |

자연 한자

山
메 산

자연 한자

川
내 천

자연 한자

海
바다 해

자연 한자

水
물 수

🐼 한자와 뜻·음(소리)을 쓰세요.

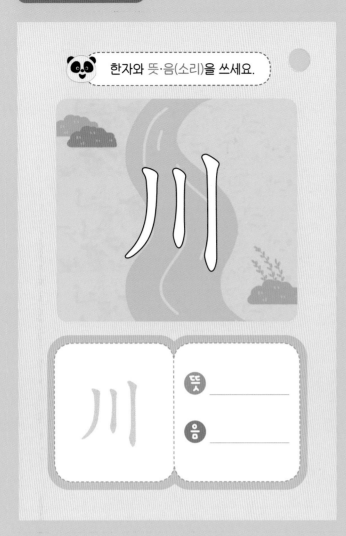

川	뜻 _____
	음 _____

🐼 한자와 뜻·음(소리)을 쓰세요.

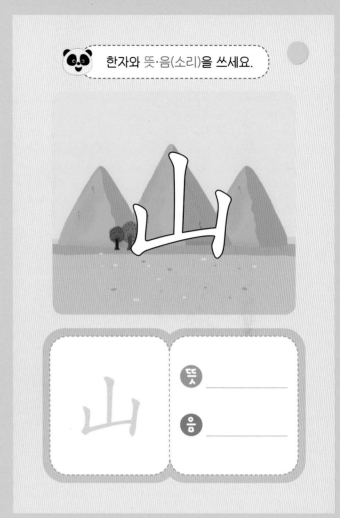

山	뜻 _____
	음 _____

🐼 한자와 뜻·음(소리)을 쓰세요.

水	뜻 _____
	음 _____

🐼 한자와 뜻·음(소리)을 쓰세요.

海	뜻 _____
	음 _____

자연 한자

空

빌 공

자연 한자

氣

기운 기

자연 한자

花

꽃 화

자연 한자

草

풀 초

자연 한자

🐼 한자와 뜻·음(소리)을 쓰세요.

氣	뜻 _____
	음 _____

🐼 한자와 뜻·음(소리)을 쓰세요.

空	뜻 _____
	음 _____

🐼 한자와 뜻·음(소리)을 쓰세요.

草	뜻 _____
	음 _____

🐼 한자와 뜻·음(소리)을 쓰세요.

花	뜻 _____
	음 _____

자연 한자

수풀 림

자연 한자

나무 목

자연 한자

심을 식

자연 한자

물건 물

🐼 한자와 뜻·음(소리)을 쓰세요.

| 木 | 뜻 _____ |
| | 음 _____ |

🐼 한자와 뜻·음(소리)을 쓰세요.

| 林 | 뜻 _____ |
| | 음 _____ |

🐼 한자와 뜻·음(소리)을 쓰세요.

| 物 | 뜻 _____ |
| | 음 _____ |

🐼 한자와 뜻·음(소리)을 쓰세요.

| 植 | 뜻 _____ |
| | 음 _____ |

자연 한자

自
스스로 자

자연 한자

然
그럴 연

자연 한자

生
날 생

자연 한자

命
목숨 명

자연 한자

🐼 한자와 뜻·음(소리)을 쓰세요.

| 然 | 뜻 _____ |
| | 음 _____ |

🐼 한자와 뜻·음(소리)을 쓰세요.

| 自 | 뜻 _____ |
| | 음 _____ |

🐼 한자와 뜻·음(소리)을 쓰세요.

| 命 | 뜻 _____ |
| | 음 _____ |

🐼 한자와 뜻·음(소리)을 쓰세요.

| 生 | 뜻 _____ |
| | 음 _____ |

계절 한자

봄 춘

계절 한자

여름 하

계절 한자

가을 추

계절 한자

계절 한자

겨울 동

한자와 뜻·음(소리)을 쓰세요.

夏
- 뜻 _____
- 음 _____

한자와 뜻·음(소리)을 쓰세요.

春
- 뜻 _____
- 음 _____

한자와 뜻·음(소리)을 쓰세요.

冬
- 뜻 _____
- 음 _____

한자와 뜻·음(소리)을 쓰세요.

秋
- 뜻 _____
- 음 _____

시간 한자

일곱 칠

시간 한자

저녁 석

시간 한자

매양 매

시간 한자

달 월

시간 한자

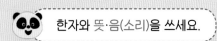 한자와 뜻·음(소리)을 쓰세요.

夕

뜻 _____
음 _____

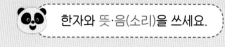 한자와 뜻·음(소리)을 쓰세요.

七

뜻 _____
음 _____

 한자와 뜻·음(소리)을 쓰세요.

月

뜻 _____
음 _____

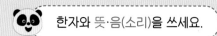 한자와 뜻·음(소리)을 쓰세요.

每

뜻 _____
음 _____

시간 한자

올 래

시간 한자

날 일

방향 한자

앞 전

시간 한자

방향 한자

뒤 후

한자와 뜻·음(소리)을 쓰세요.

日	뜻 _____
	음 _____

한자와 뜻·음(소리)을 쓰세요.

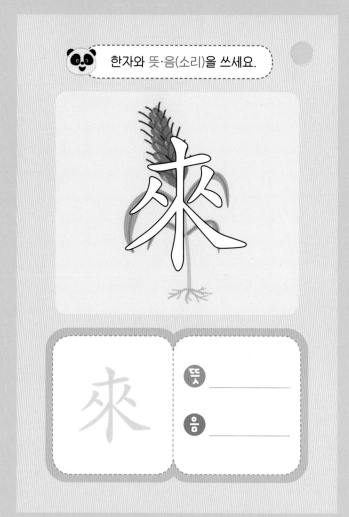

來	뜻 _____
	음 _____

한자와 뜻·음(소리)을 쓰세요.

後	뜻 _____
	음 _____

한자와 뜻·음(소리)을 쓰세요.

前	뜻 _____
	음 _____

방향 한자

왼 좌

방향 한자

오른 우

방향 한자

동녘 동

방향 한자

서녘 서

한자와 뜻·음(소리)을 쓰세요.

右

뜻 _____

음 _____

한자와 뜻·음(소리)을 쓰세요.

左

뜻 _____

음 _____

한자와 뜻·음(소리)을 쓰세요.

西

뜻 _____

음 _____

한자와 뜻·음(소리)을 쓰세요.

東

뜻 _____

음 _____

방향 한자

南

남녘 남

방향 한자

北

북녘북/달아날 배

방향 한자

四

넉 사

방향 한자

方

오 방

한자와 뜻·음(소리)을 쓰세요.

北

뜻 _____

음 _____

한자와 뜻·음(소리)을 쓰세요.

南

뜻 _____

음 _____

한자와 뜻·음(소리)을 쓰세요.

方

뜻 _____

음 _____

한자와 뜻·음(소리)을 쓰세요.

四

뜻 _____

음 _____

水 漁 之 交

물 물고기 갈 사귈
수 어 지 교

물고기에게 물은 정말 소중한 존재이지요.
수어지교란 물고기와 물의 관계처럼,
아주 친밀하여 떨어질 수 없는 사이
또는 깊은 우정을 일컫는 말이랍니다.

해당 콘텐츠는 천재교육 '똑똑한 하루 독해'를 참고하여 제작되었습니다.
모든 공부의 기초가 되는 어휘력+독해력을 키우고 싶을 땐,
똑똑한 하루 독해&어휘를 풀어보세요!

똑똑한 하루 시/리/즈

✄ 쉽다!

10분이면 하루치 공부를 마칠 수 있는 커리큘럼으로, 아이들이 초등 학습에 쉽고 재미있게 접근할 수 있도록 구성하였습니다.

🧩 재미있다!

교과서는 물론 생활 속에서 쉽게 접할 수 있는 다양한 소재와 재미있는 게임 형식의 문제로 흥미로운 학습이 가능합니다.

📖 똑똑하다!

초등학생에게 꼭 필요한 학습 지식 습득은 물론 창의력 확장까지 가능한 교재로 올바른 공부습관을 가지는 데 도움을 줍니다.

과목	교재 구성	과목	교재 구성
하루 독해	예비초~6학년 각 A·B (14권)	하루 VOCA	3~6학년 각 A·B (8권)
하루 어휘	예비초~6학년 각 A·B (14권)	하루 Grammar	3~6학년 각 A·B (8권)
하루 글쓰기	예비초~6학년 각 A·B (14권)	하루 Reading	3~6학년 각 A·B (8권)
하루 한자	예비초: 예비초 A·B (2권) 1~6학년: 1A~4C (12권)	하루 Phonics	Starter A·B / 1A~3B (8권)
하루 수학	1~6학년 1·2학기 (12권)	하루 봄·여름·가을·겨울	1~2학년 각 2권 (8권)
하루 계산	예비초~6학년 각 A·B (14권)	하루 사회	3~6학년 1·2학기 (8권)
하루 도형	예비초~6학년 각 A·B (14권)	하루 과학	3~6학년 1·2학기 (8권)
하루 사고력	1~6학년 각 A·B (12권)	하루 안전	1~2학년 (2권)

※ 각 교재별 출간 시기는 조금씩 다르며, 일부 교재는 순차적으로 출시될 예정입니다.

똑 똑 한

하루
한자

정답

3 단계 A

7급 기초1

천재교육

배운 내용은
꼭꼭 복습하기!

똑 똑 한

하루
한자

정답

3 단계
A
7급 기초1

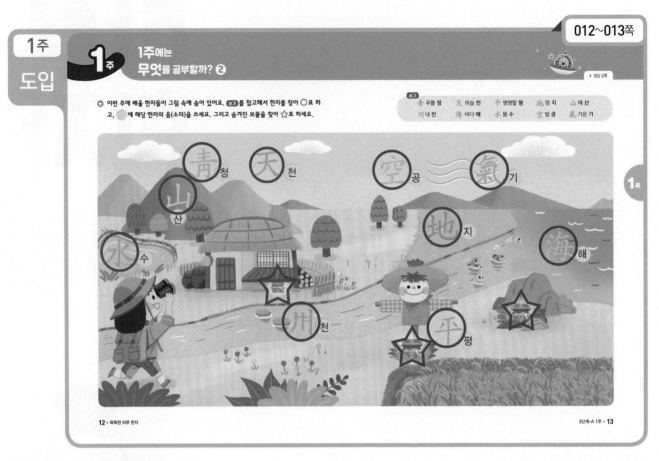

1주 도입

1주
1주에는
무엇을 공부할까? ❷

보기
青 푸를 청 | 天 하늘 천 | 平 평평할 평 | 地 땅 지 | 山 메 산
川 내 천 | 海 바다 해 | 水 물 수 | 空 빌 공 | 氣 기운 기

✿ 이번 주에 배울 한자들이 그림 속에 숨어 있어요. 보기를 참고해서 한자를 찾아 ◯표 하고, ◯에 해당 한자의 음(소리)을 쓰세요. 그리고 숨겨진 보물을 찾아 ☆표 하세요.

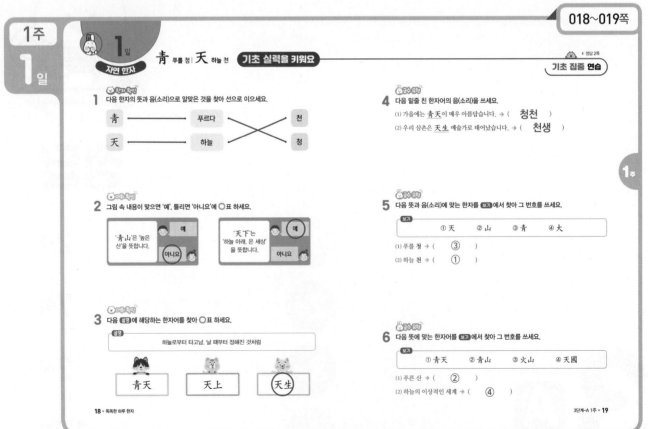

1주 1일

1일 자연 한자

青 푸를 청 | 天 하늘 천 **기초 실력을 키워요** **기초 집중 연습**

1 다음 한자의 뜻과 음(소리)으로 알맞은 것을 찾아 선으로 이으세요.

青 ── 푸르다 ╲╱ 천
天 ── 하늘 ╱╲ 청

2 그림 속 내용이 맞으면 '예', 틀리면 '아니요'에 ◯표 하세요.

'青山'은 '높은 산'을 뜻합니다. → 예 / **아니요**

'天下'는 '하늘 아래, 온 세상'을 뜻합니다. → **예** / 아니요

3 다음 설명에 해당하는 한자어를 찾아 ◯표 하세요.

설명
하늘로부터 타고남. 날 때부터 정해진 것처럼

青天 | 天上 | **天生**

4 다음 밑줄 친 한자어의 음(소리)을 쓰세요.

(1) 가을에는 青天이 매우 아름답습니다. → (청천)
(2) 우리 삼촌은 天生 예술가로 태어났습니다. → (천생)

5 다음 뜻과 음(소리)에 맞는 한자를 보기에서 찾아 그 번호를 쓰세요.

보기
① 天 ② 山 ③ 青 ④ 大

(1) 푸를 청 → (③)
(2) 하늘 천 → (①)

6 다음 뜻에 맞는 한자어를 보기에서 찾아 그 번호를 쓰세요.

보기
① 青天 ② 青山 ③ 火山 ④ 天國

(1) 푸른 산 → (②)
(2) 하늘의 이상적인 세계 → (④)

1주

2일

2일 자연 한자 平 평평할 평 | 地 땅 지 **기초 실력을 키워요**

📖정답 3쪽

기초 집중 연습

교과 확인

1 다음 한자 카드의 ☐ 안에 들어갈 한자나 한자의 뜻과 음(소리)을 쓰세요.

평평할 평

→ (平)

地

→ (땅 지)

어휘 확인

2 ☐에 알맞은 글자를 넣어 낱말을 만드세요.

걱정이나 탈이 없음.

평 안

평평한 땅

평 지

어휘 확인

3 다음에서 '평일(平日)'의 뜻을 바르게 설명한 것을 찾아 ○표 하세요.

햇빛이 곧게 뻗어 따뜻한 곳

평온하고 화목한 날

토요일, 일요일 공휴일이 아닌 보통의 날 ⟵○

필수 어휘

4 다음 밑줄 친 한자어의 음(소리)을 쓰세요.

(1) 平平한 곳에 자리를 잡고 앉았습니다. → (평평)

(2) 흰 눈이 온 天地를 뒤덮었습니다. → (천지)

필수 어휘

5 보기 와 같이 다음 한자의 뜻과 음(소리)을 쓰세요

보기

青 → 푸를 청

(1) 平 → (평평할 평)

(2) 地 → (땅 지)

필수 어휘

6 다음 한자의 상대 또는 반대되는 한자를 보기 에서 찾아 그 번호를 쓰세요.

보기

① 青   ② 天   ③ 平   ④ 土

● 地 ↔ (②)

24 • 똑똑한 하루 한자

3단계-A 1주 • 25

1주

3일

3일 자연 한자 山 메 산 | 川 내 천 **기초 실력을 키워요**

📖정답 3쪽

기초 집중 연습

교과 확인

1 다음 한자의 뜻과 음(소리)으로 알맞은 것을 찾아 ○표 하세요.

山

땅 지   메 산 ⟵○

川

내 천 ⟵○   물 수

어휘 확인

2 힌트를 보고 다음 빈칸에 들어갈 알맞은 글자를 써넣으세요.

강 산

입 산

힌트

• 강☐ : 강과 산. 자연의 경치
• 입☐ : 산속에 들어감.

어휘 확인

3 다음 문장의 내용이 맞으면 '예', 틀리면 '아니요'에 ○표 하세요.

'山川(산천)'은 '산과 내, 자연'을 뜻합니다.

예 ⟵○   아니요

필수 어휘

4 다음 밑줄 친 한자어의 음(소리)을 쓰세요.

(1) 이곳은 우리나라 名山 중의 하나입니다. → (명산)

(2) 우리 집 앞에 小川이 흐릅니다. → (소천)

필수 어휘

5 다음 뜻과 음(소리)에 맞는 한자를 보기 에서 찾아 그 번호를 쓰세요.

보기

① 平   ② 川   ③ 天   ④ 山

(1) 메 산 → (④)

(2) 내 천 → (②)

필수 어휘

6 다음 밑줄 친 낱말에 해당하는 한자어를 보기 에서 찾아 그 번호를 쓰세요.

보기

① 大川   ② 入山   ③ 入水   ④ 青天

(1) 입산할 때는 안전을 위해 준비를 철저히 해야 합니다. → (②)

(2) 작은 개천들이 모여 대천을 이룹니다. → (①)

30 • 똑똑한 하루 한자

3단계-A 1주 • 31

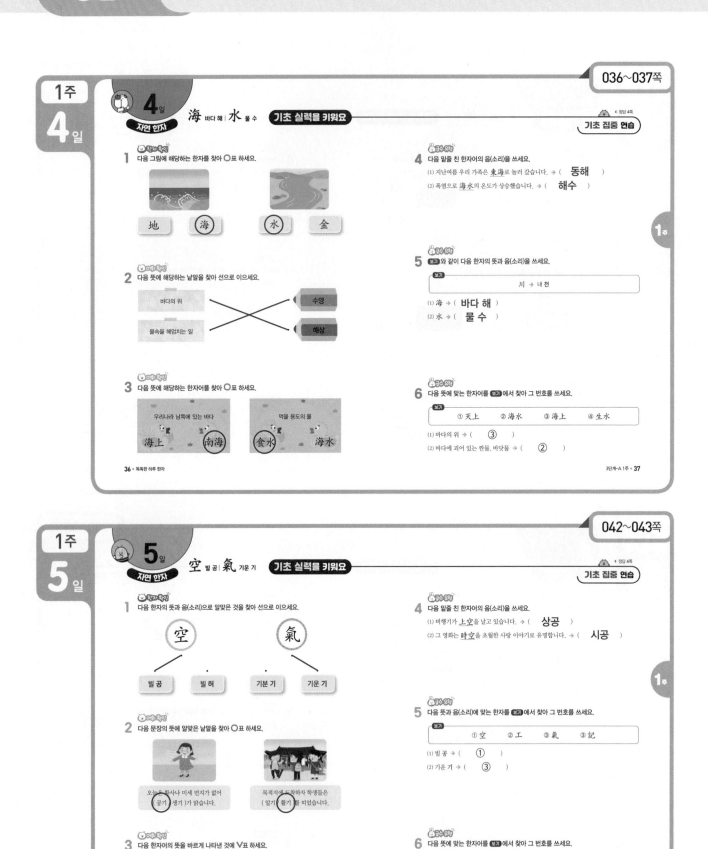

1주 4일

4일
자연 한자 海 바다 해 | 水 물 수 · 기초 실력을 키워요 · 기초 집중 연습

1 다음 그림에 해당하는 한자를 찾아 ○표 하세요.

地 / ㉿海 / ㉿水 / 金

2 다음 뜻에 해당하는 낱말을 찾아 선으로 이으세요.

바다의 위 —— 해상
물속을 헤엄치는 일 —— 수영

3 다음 뜻에 해당하는 한자어를 찾아 ○표 하세요.

우리나라 남쪽에 있는 바다 : 海上 / ㉿南海
먹을 용도의 물 : ㉿食水 / 海水

4 다음 밑줄 친 한자어의 음(소리)을 쓰세요.
(1) 지난여름 우리 가족은 東海로 놀러 갔습니다. → (동해)
(2) 폭염으로 海水의 온도가 상승했습니다. → (해수)

5 보기 와 같이 다음 한자의 뜻과 음(소리)을 쓰세요.
보기
川 → 내 천
(1) 海 → (바다 해)
(2) 水 → (물 수)

6 다음 뜻에 맞는 한자어를 보기 에서 찾아 그 번호를 쓰세요.
보기
① 天上   ② 海水   ③ 海上   ④ 生水
(1) 바다의 위 → (③)
(2) 바다에 괴어 있는 짠물, 바닷물 → (②)

1주 5일

5일
자연 한자 空 빌 공 | 氣 기운 기 · 기초 실력을 키워요 · 기초 집중 연습

1 다음 한자의 뜻과 음(소리)으로 알맞은 것을 찾아 선으로 이으세요.

空   氣

빌 공 · 빌 허   기분 기 · 기운 기

2 다음 문장의 뜻에 알맞은 낱말을 찾아 ○표 하세요.

오늘은 황사나 미세 먼지가 없어 (㉿공기 / 생기)가 맑습니다.

목적지에 도착하자 학생들은 (일기 / ㉿활기)를 띠었습니다.

3 다음 한자어의 뜻을 바르게 나타낸 것에 ∨표 하세요.

時空
□ 하늘과 땅 사이의 빈 곳
☑ 시간과 공간을 아울러 이르는 말

4 다음 밑줄 친 한자어의 음(소리)을 쓰세요.
(1) 비행기가 上空을 날고 있습니다. → (상공)
(2) 그 영화는 時空을 초월한 사랑 이야기로 유명합니다. → (시공)

5 다음 뜻과 음(소리)에 맞는 한자를 보기 에서 찾아 그 번호를 쓰세요.
보기
① 空   ② 工   ③ 氣   ④ 記
(1) 빌 공 → (①)
(2) 기운 기 → (③)

6 다음 뜻에 맞는 한자어를 보기 에서 찾아 그 번호를 쓰세요.
보기
① 空間   ② 日氣   ③ 空氣   ④ 活氣
(1) 그날그날의 기상 상태, 날씨 → (②)
(2) 지구 표면을 둘러싸고 있는 무색, 무취의 투명한 기체 → (③)

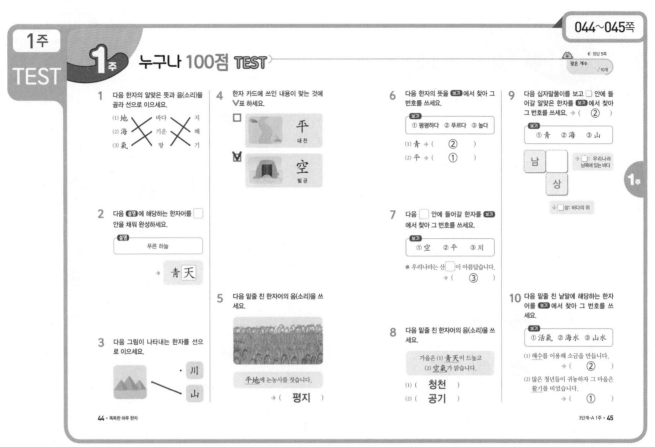

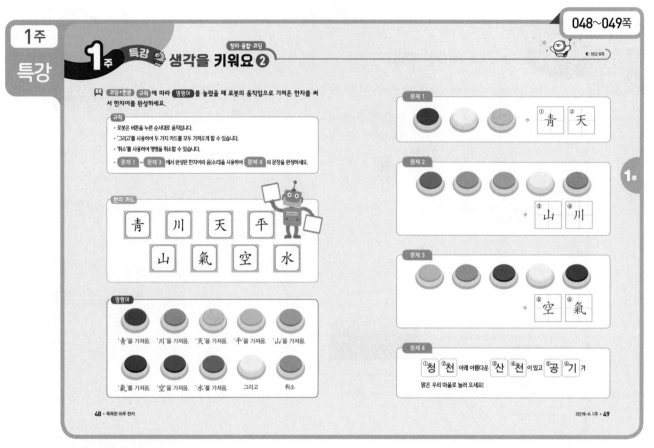

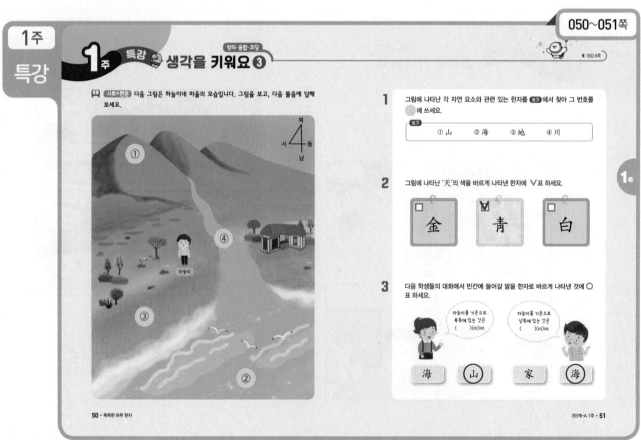

2주
도입

2주 2주에는 무엇을 공부할까? ❷

🌸 이번 주에 배울 한자들이 그림 속에 숨어 있어요. [보기]를 참고해서 한자를 찾아 ◯표 하고, 그중 빨간색으로 표시된 한자의 음(소리)을 ☐에 써서 문구를 완성하세요.

정답 7쪽

[보기] 花 꽃 화　草 풀 초　林 수풀 림　木 나무 목　植 심을 식
物 물건 물　自 스스로 자　然 그럴 연　生 날 생　命 목숨 명

자 연 보 호

54 • 똑똑한 하루 한자　　3단계-A 2주 • 55

2주
1일

1일 자연 한자　花 꽃 화｜草 풀 초　　기초 실력을 키워요

정답 7쪽

기초 집중 연습

1 다음 뜻과 음(소리)에 해당하는 한자를 찾아 ◯표 하세요.

꽃 화　　　풀 초

花　火　　　木　草

2 낱말판에서 [설명]에 해당하는 낱말을 찾아 ◯표 하세요.

목 수 록
가 생 초
조 화 분

[설명] 살아 있는 화초에서 꺾은 진짜 꽃

3 다음 문장에 들어갈 말로 어울리는 한자어를 찾아 ◯표 하세요.

여름이 되자 온 산에 (草木, 草家)이/가 무성하게 자라 있습니다.

4 다음 밑줄 친 한자어의 음(소리)을 쓰세요.
(1) 生花의 향기가 매우 좋습니다. ➡ (생화)
(2) 옛날 사람들은 草家집에서 살았습니다. ➡ (초가)

5 [보기]와 같이 다음 한자의 뜻과 음(소리)을 쓰세요.

[보기] 氣 ➡ 기운 기

(1) 花 ➡ (꽃 화)
(2) 草 ➡ (풀 초)

6 다음 밑줄 친 낱말에 해당하는 한자어를 [보기]에서 찾아 그 번호를 쓰세요.

[보기] ① 花草　② 百花　③ 生花　④ 草木

(1) 날씨가 따뜻해지자 들판에 백화가 만발합니다. ➡ (②)
(2) 매일 화초를 정성껏 가꿉니다. ➡ (①)

60 • 똑똑한 하루 한자　　3단계-A 2주 • 61

똑똑한 하루 한자

정답

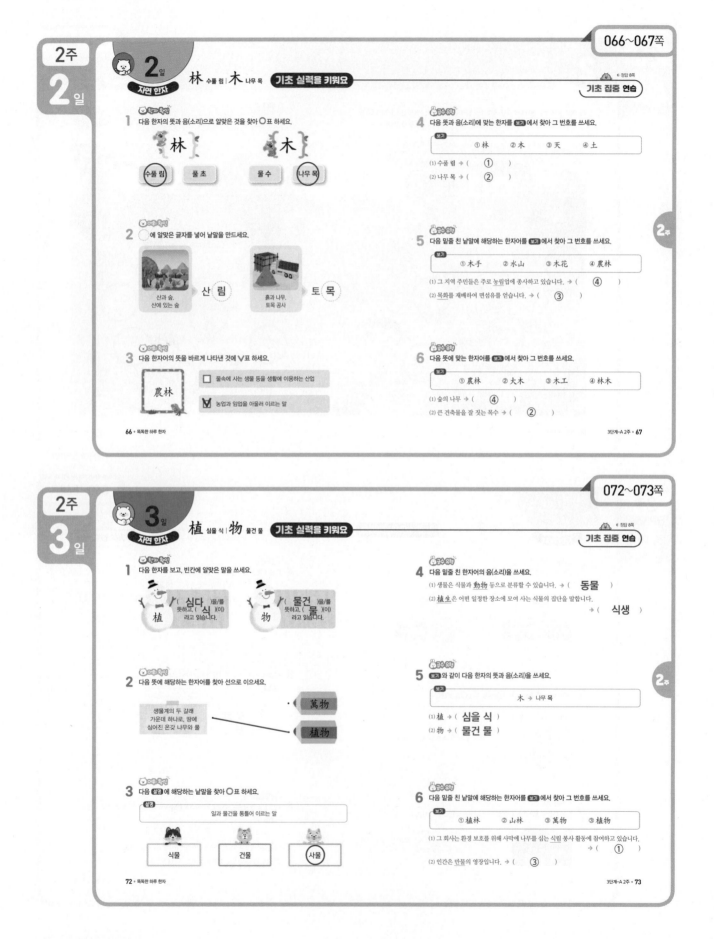

2주
2일

2일 林 수풀림 | 木 나무목 **기초 실력을 키워요**

기초 집중 연습

1 다음 한자의 뜻과 음(소리)으로 알맞은 것을 찾아 ○표 하세요.

林 / 木

수풀 림 / 풀 초 / 물 수 / 나무 목

2 ○에 알맞은 글자를 넣어 낱말을 만드세요.

산과 숲, 산에 있는 숲 → 산 **림**

흙과 나무, 토목 공사 → 토 **목**

3 다음 한자어의 뜻을 바르게 나타낸 것에 ∨표 하세요.

農林

☐ 물속에 사는 생물 등을 생활에 이용하는 산업
☑ 농업과 임업을 아울러 이르는 말

4 다음 뜻과 음(소리)에 맞는 한자를 보기에서 찾아 그 번호를 쓰세요.

보기 ① 林 ② 木 ③ 天 ④ 土

(1) 수풀 림 → (①)
(2) 나무 목 → (②)

5 다음 밑줄 친 낱말에 해당하는 한자어를 보기에서 찾아 그 번호를 쓰세요.

보기 ① 木手 ② 水山 ③ 木花 ④ 農林

(1) 그 지역 주민들은 주로 농림업에 종사하고 있습니다. → (④)
(2) 목화를 재배하여 면섬유를 얻습니다. → (③)

6 다음 뜻에 맞는 한자어를 보기에서 찾아 그 번호를 쓰세요.

보기 ① 農林 ② 大木 ③ 木工 ④ 林木

(1) 숲의 나무 → (④)
(2) 큰 건축물을 잘 짓는 목수 → (②)

66 • 똑똑한 하루 한자

3단계-A 2주 • 67

2주
3일

3일 植 심을 식 | 物 물건 물 **기초 실력을 키워요**

기초 집중 연습

1 다음 한자를 보고, 빈칸에 알맞은 말을 쓰세요.

植 (**심다**)을/를 뜻하고, (**식**)(이)라고 읽습니다.

物 (**물건**)을/를 뜻하고, (**물**)(이)라고 읽습니다.

2 다음 뜻에 해당하는 한자어를 찾아 선으로 이으세요.

생물계의 두 갈래 가운데 하나로, 땅에 심어진 온갖 나무와 풀 — 植物

萬物

3 다음 설명에 해당하는 낱말을 찾아 ○표 하세요.

설명 일과 물건을 통틀어 이르는 말

식물 / 건물 / **사물**

4 다음 밑줄 친 한자어의 음(소리)을 쓰세요.

(1) 생물은 식물과 動物 등으로 분류할 수 있습니다. → (**동물**)
(2) 植生은 어떤 일정한 장소에 모여 사는 식물의 집단을 말합니다. → (**식생**)

5 보기와 같이 다음 한자의 뜻과 음(소리)을 쓰세요.

보기 木 → 나무 목

(1) 植 → (**심을 식**)
(2) 物 → (**물건 물**)

6 다음 밑줄 친 낱말에 해당하는 한자어를 보기에서 찾아 그 번호를 쓰세요.

보기 ① 植林 ② 山林 ③ 萬物 ④ 植物

(1) 그 회사는 환경 보호를 위해 사막에 나무를 심는 식림 봉사 활동에 참여하고 있습니다. → (①)
(2) 인간은 만물의 영장입니다. → (③)

72 • 똑똑한 하루 한자

3단계-A 2주 • 73

8 • 똑똑한 하루 한자

2주 4일

4일 자연 한자 | 自 스스로 자 | 然 그럴 연 | **기초 실력을 키워요**

정답 9쪽

기초 집중 연습

1 다음 설명에 해당하는 한자를 쓰세요.

'스스로'를 뜻하고 '자'라고 읽습니다.
→ (自)

'그러하다' 또는 '틀림이 없다'를 뜻하고 '연'이라고 읽습니다.
→ (然)

2 다음에서 '自(스스로 자)'가 들어 있는 낱말을 찾아 ○표 하세요.

재미있는 (한자) 공부

부모에게 소중한 (자녀)

(자력)으로 성공한 사람

3 다음 ◯에 공통으로 들어갈 말을 한자로 바르게 나타낸 것에 ∨표 하세요.

• 자◯ : 저절로 그러한 상태
• ◯전 : 도무지, 완전히, 전혀

☑ 然
☐ 生

4 다음 밑줄 친 한자어의 음(소리)을 쓰세요.

(1) 우리는 <u>自然</u>을 아끼고 보호해야 합니다. → (자연)
(2) 범인이 찾아와 자신의 죄를 <u>自白</u>했습니다. → (자백)

5 다음 뜻과 음(소리)에 맞는 한자를 [보기]에서 찾아 그 번호를 쓰세요.

보기
① 草   ② 然   ③ 植   ④ 自

(1) 스스로 자 → (④)
(2) 그럴 연 → (②)

6 다음 뜻에 맞는 한자어를 [보기]에서 찾아 그 번호를 쓰세요.

보기
① 自力   ② 天生   ③ 天然   ④ 自白

(1) 자기 혼자의 힘 → (①)
(2) 사람의 힘을 가하지 않은 그대로의 상태 → (③)

78 • 똑똑한 하루 한자

3단계-A 2주 • 79

2주 5일

5일 자연 한자 | 生 날 생 | 命 목숨 명 | **기초 실력을 키워요**

정답 9쪽

기초 집중 연습

1 다음 그림과 관련된 뜻과 음(소리), 한자를 찾아 선으로 이으세요.

목숨 명 ─ 生
날 생 ─ 命

2 [힌트]를 보고 다음 빈칸에 들어갈 알맞은 글자를 써넣으세요.

평[ ]
생 기

힌트
• 평[ ]: 태어나서 죽을 때까지의 동안
• [ ]기: 싱싱하고 힘찬 기운

3 다음 문장에 들어갈 말로 어울리는 한자어를 찾아 ○표 하세요.

화살이 과녁에 (空中 (命中))하였습니다.

4 다음 밑줄 친 한자어의 음(소리)을 쓰세요.

(1) 식물에 물을 주었더니 <u>生氣</u>가 됩니다. → (생기)
(2) 소방관이 소중한 <u>生命</u>을 구했습니다. → (생명)

5 [보기]와 같이 다음 한자의 뜻과 음(소리)을 쓰세요.

보기
然 → 그럴 연

(1) 生 → (날 생)
(2) 命 → (목숨 명)

6 다음 밑줄 친 낱말에 해당하는 한자어를 [보기]에서 찾아 그 번호를 쓰세요.

보기
① 人生   ② 人氣   ③ 命名   ④ 生命

(1) 우리는 행복한 인생을 살고 있습니다. → (①)
(2) 이곳을 '만남의 광장'으로 명명하였습니다. → (③)

84 • 똑똑한 하루 한자

3단계-A 2주 • 85

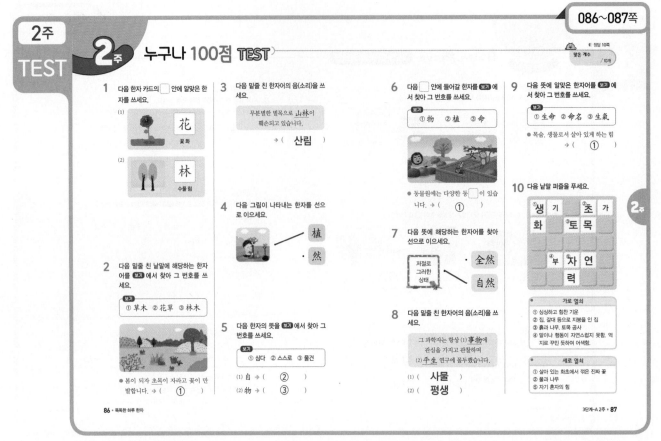

2주
특강

2주 특강 생각을 키워요 ②
창의·융합·코딩

코딩+한문 '출발' 한자를 왼쪽 명령어 대로 주어진 방향으로 한 칸씩 이동합니다. 이 동했을 때 만나는 한자와 한자어를 만들어 그 음(소리)을 쓰세요.

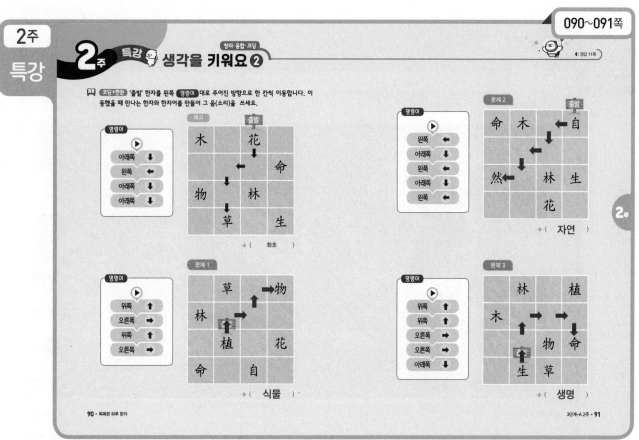

→ (화초)

→ (식물)

→ (자연)

→ (생명)

90 · 똑똑한 하루 한자

3단계-A 2주 · 91

2주

2주
특강

2주 특강 생각을 키워요 ③
창의·융합·코딩

과학+한문 다음 글을 읽고, 물음에 답해 보세요.

지구상에는 다양한 ㉠ 식물과 ㉡ 동물이 살고 있습니다. 식물은 땅에 심어진 온갖 나무와 풀 등으로, 광합성을 하며 스스로 양분을 만듭니다. 동물은 짐승, 물고기, 벌레, 사람 등을 통틀어 이르는 말로, 다른 생물을 먹어서 양분을 얻고, 스스로 움직입니다.
이러한 식물과 동물 모두 소중한 생명체입니다. 식물과 동물이 함께 조화를 이루며 행복하고 안전하게 살아가기 위해서는 환경 오염을 줄이고 ㉢ 自然을 보호하려고 노력해야 합니다.

1 밑줄 친 ㉠, ㉡에 해당하는 한자어를 보기 에서 찾아 그 번호를 쓰세요.

보기
① 植生   ② 植物   ③ 動物   ④ 萬物

(1) ㉠ 식물 → (②)   (2) ㉡ 동물 → (③)

2 다음에서 植物에 해당하는 것을 모두 골라 ○표 하세요.

3 밑줄 친 ㉢의 음(소리)을 보기 에서 찾아 쓰세요.

보기
천연   자연   자립   과연

● ㉢ 自然 → (자연)

4 다음 그림에서 자연을 보호하는 모습에 해당하지 않는 것에 Ⅴ표 하세요.

92 · 똑똑한 하루 한자

3단계-A 2주 · 93

2주

3단계-A 정답 • **11**

3주
도입

3주에는
무엇을 공부할까? ❷

◈ 이번 주에 배울 한자들이 그림 속에 숨어 있어요. 보기 의 순서대로 한자를 찾아 따라가
직녀가 견우를 만날 수 있게 해 주세요.

보기
春 봄 춘 → 夏 여름 하 → 秋 가을 추 → 冬 겨울 동 → 七 일곱 칠
→ 夕 저녁 석 → 每 매양 매 → 月 달 월 → 來 올 래 → 日 날 일

96 • 똑똑한 하루 한자　　　3단계-A 3주 • 97

3주
1일

계절 한자

春 봄 춘 夏 여름 하

기초 실력을 키워요

기초 집중 연습

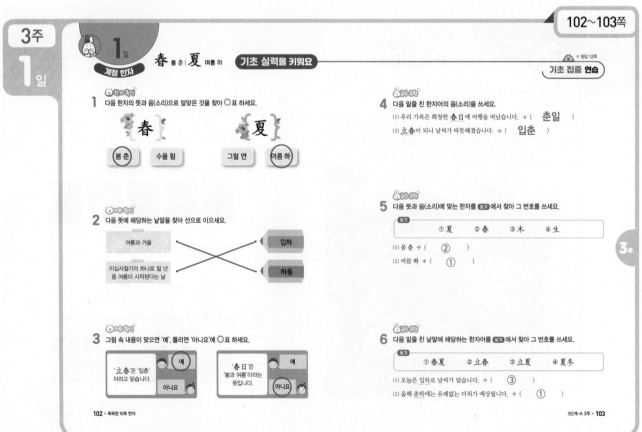

1 다음 한자의 뜻과 음(소리)으로 알맞은 것을 찾아 ○표 하세요.

春 → (봄 춘) / 수풀 림
夏 → 그럴 연 / (여름 하)

2 다음 뜻에 해당하는 낱말을 찾아 선으로 이으세요.

여름과 겨울 ─── 입하
이십사절기의 하나로 일 년 중 여름이 시작된다는 날 ─── 하동

3 그림 속 내용이 맞으면 '예', 틀리면 '아니요'에 ○표 하세요.

'立春'은 '입춘' 이라고 읽습니다. → 예 / 아니요
'春日'은 '봄과 여름'이라는 뜻입니다. → 예 / 아니요

4 다음 밑줄 친 한자어의 음(소리)을 쓰세요.
(1) 우리 가족은 화창한 春日에 여행을 떠났습니다. → (춘일)
(2) 立春이 되니 날씨가 따뜻해졌습니다. → 입춘

5 다음 뜻과 음(소리)에 맞는 한자를 보기 에서 찾아 그 번호를 쓰세요.
보기 ① 夏 ② 春 ③ 木 ④ 生
(1) 봄 춘 → (②)
(2) 여름 하 → (①)

6 다음 밑줄 친 낱말에 해당하는 한자어를 보기 에서 찾아 그 번호를 쓰세요.
보기 ① 春夏 ② 立春 ③ 立夏 ④ 夏冬
(1) 오늘은 입하로 날씨가 덥습니다. → (③)
(2) 올해 춘하에는 유례없는 더위가 예상됩니다. → (①)

102 • 똑똑한 하루 한자　　　3단계-A 3주 • 103

3주 2일

2일 계절 한자 秋 가을 추 | 冬 겨울 동

기초 실력을 키워요

정답 13쪽

기초 집중 연습

한자 확인

1 다음 그림과 관련된 뜻과 음(소리), 한자를 찾아 선으로 이으세요.

가을 추 ─── 秋

겨울 동 ─── 冬

어휘 확인

2 다음 설명에 해당하는 한자어를 찾아 ○표 하세요.

설명: 겨울의 석 달

春秋 (三冬) 冬木

어휘 확인

3 ◯에 알맞은 글자를 넣어 낱말을 만드세요.

우리나라 명절의 하나로 음력 팔월 보름날 ▶ 추 석

겨울철에 쉼. 겨울 휴가 ▶ 동 휴

급수 연습

4 다음 밑줄 친 한자어의 음(소리)을 쓰세요.

(1) 할머니의 春秋는 여든이십니다. ▶ (춘추)

(2) 이번 三冬에는 매서운 추위가 예상됩니다. ▶ (삼동)

급수 연습

5 보기와 같이 다음 한자의 뜻과 음(소리)을 쓰세요

보기: 春 ▶ 봄 춘

(1) 秋 ▶ (가을 추)

(2) 冬 ▶ (겨울 동)

급수 연습

6 다음 뜻에 맞는 한자어를 보기에서 찾아 그 번호를 쓰세요.

보기: ① 春秋 ② 冬木 ③ 三冬 ④ 秋天

(1) 겨울이 되어 잎이 떨어진 나무 ▶ (②)

(2) 가을철의 하늘 ▶ (④)

108 • 똑똑한 하루 한자

3단계-A 3주 • 109

3주 3일

3일 시간 한자 七 일곱 칠 | 夕 저녁 석

기초 실력을 키워요

정답 13쪽

기초 집중 연습

한자 확인

1 다음 한자의 뜻과 음(소리)을 쓰세요.

(일곱)을/를 뜻하고, (칠)(이)라고 읽습니다. 七

(저녁)을/를 뜻하고, (석)(이)라고 읽습니다. 夕

어휘 확인

2 안내를 보고 다음 빈칸에 들어갈 알맞은 글자를 써넣으세요.

칠 월

천

안내:
• ◯월: 한 해의 열두 달 가운데 일곱째 달
• ◯천: 7000, 1000을 일곱 번 더한 수

어휘 확인

3 다음 한자어의 뜻을 바르게 나타낸 것에 ✔표 하세요.

夕日

☑ 저녁때의 저무는 해

☐ 저녁에 끼니로 먹는 밥

급수 연습

4 다음 밑줄 친 한자어의 음(소리)을 쓰세요.

(1) 七夕에는 견우와 직녀의 전설이 전해 내려옵니다. ▶ (칠석)

(2) 숙제를 마치니 시간이 中夕이 되었습니다. ▶ (중석)

급수 연습

5 다음 뜻과 음(소리)에 맞는 한자를 보기에서 찾아 그 번호를 쓰세요.

보기: ① 夕 ② 秋 ③ 夏 ④ 七

(1) 일곱 칠 ▶ (④)

(2) 저녁 석 ▶ (①)

급수 연습

6 다음 밑줄 친 낱말에 해당하는 한자어를 보기에서 찾아 그 번호를 쓰세요.

보기: ① 夕食 ② 七夕 ③ 七月 ④ 夕日

(1) 칠월에 있을 여름 방학이 기다려집니다. ▶ (③)

(2) 어느새 석석 시간이 되어 배가 고파졌습니다. ▶ (①)

114 • 똑똑한 하루 한자

3단계-A 3주 • 115

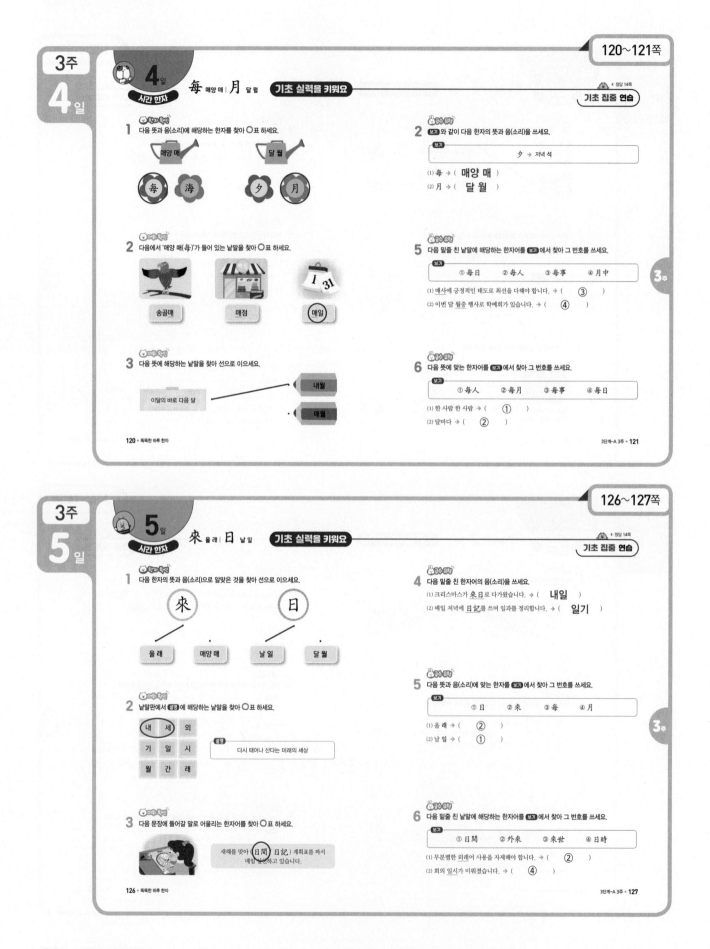

3주 누구나 100점 TEST

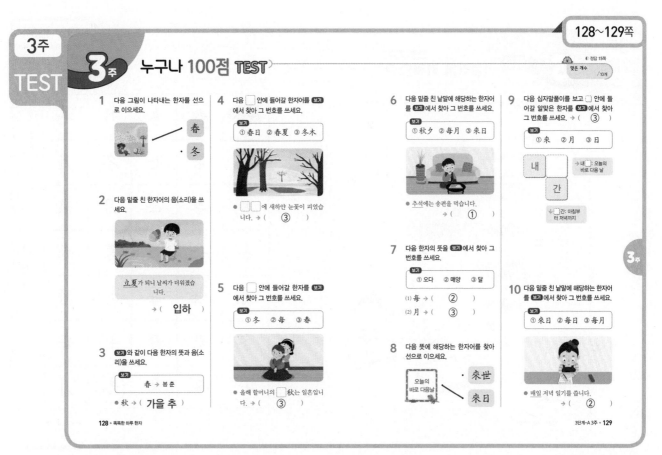

1 다음 그림이 나타내는 한자를 선으로 이으세요.

・春
・冬

2 다음 밑줄 친 한자어의 음(소리)을 쓰세요.

立夏가 되니 날씨가 더워지겠습니다.
→ (입하)

3 보기와 같이 다음 한자의 뜻과 음(소리)을 쓰세요.

보기
春 → 봄 춘

● 秋 → (가을 추)

4 다음 ▢ 안에 들어갈 한자어를 보기에서 찾아 그 번호를 쓰세요.

보기
① 春日 ② 春夏 ③ 冬木

● ▢▢에 새하얀 눈꽃이 피었습니다. → (③)

5 다음 ▢ 안에 들어갈 한자를 보기에서 찾아 그 번호를 쓰세요.

보기
① 冬 ② 每 ③ 春

● 올해 할머니의 ▢秋는 일흔입니다. → (③)

6 다음 밑줄 친 낱말에 해당하는 한자어를 보기에서 찾아 그 번호를 쓰세요.

보기
① 秋夕 ② 每月 ③ 來日

● 추석에는 송편을 먹습니다. (①)

7 다음 한자의 뜻을 보기에서 찾아 그 번호를 쓰세요.

보기
① 오다 ② 매양 ③ 달

(1) 每 → (②)
(2) 月 → (③)

8 다음 뜻에 해당하는 한자어를 찾아 선으로 이으세요.

오늘의 바로 다음날
・來世
・來日

9 다음 십자말풀이를 보고 ▢ 안에 들어갈 알맞은 한자를 보기에서 찾아 그 번호를 쓰세요. → (③)

보기
① 來 ② 月 ③ 日

내 ▢
▢
간

→ 내▢: 오늘의 바로 다음 날
↓▢간: 아침부터 저녁까지

10 다음 밑줄 친 낱말에 해당하는 한자어를 보기에서 찾아 그 번호를 쓰세요.

보기
① 來日 ② 每日 ③ 每月

● 매일 저녁 일기를 씁니다. → (②)

3주 특강 창의·융합·코딩 생각을 키워요 ①

국어+한문 다음 만화를 읽고, 성어의 뜻을 생각해 보세요.

一 日 三 秋
한 일 날 일 석 삼 가을 추

◆ 성어의 뜻을 살펴보며 빈칸에 알맞은 한자를 채우세요.

일	일	삼	추
一	日	三	秋

→ '하루가 삼 년 같다.'라는 뜻으로, 몹시 애태우며 기다림을 이르는 말

3주
특강

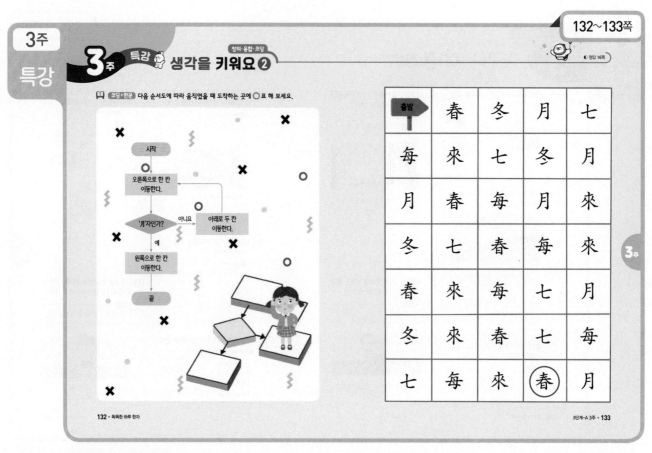

3주
특강

4주 도입

4주예는 무엇을 공부할까? ❷

❈ 보기 속 한자의 뜻과 음(소리)을 확인하면서 이번 주에 배울 한자에 해당하는 풍선을 색칠해 보세요. 그리고 색칠하지 않은 풍선을 들고 있는 풍선 도둑을 찾아 ○표 해 보세요.

보기			
前 앞 전	後 뒤 후	左 왼좌	右 오른 우	東 동녘 동
西 서녘 서	南 남녘 남	北 북녘 북/ 달아날 배	四 넉 사	方 모 방

4주 1일

방향 한자 前 앞전 | 後 뒤 후

기초 실력을 키워요 ───── **기초 집중 연습**

1 다음 한자의 뜻과 음(소리)으로 알맞은 것을 찾아 선으로 이으세요.

前 ── 앞 ── 후
後 ── 뒤 ── 전

2 보기를 보고 다음 빈칸에 들어갈 알맞은 한자를 써넣으세요.

前 面
年

힌트:
• □面: 물체의 앞쪽 면
• □年: 이해의 바로 앞의 해

3 다음 설명에 해당하는 한자어를 찾아 ○표 하세요.

설명: 앞과 뒤, 또는 먼저와 나중

事前 | (前後) | 直後

4 다음 밑줄 친 한자어의 음(소리)을 쓰세요.

(1) 점검을 통해 안전사고를 <u>事前</u>에 예방하는 것이 좋습니다. ➡ (사전)

(2) 수업이 끝난 <u>直後</u>에 친구와 만나기로 했습니다. ➡ (직후)

5 보기와 같이 다음 한자의 뜻과 음(소리)을 쓰세요.

보기: 日 ➡ 날 일

(1) 前 ➡ (앞 전)
(2) 後 ➡ (뒤 후)

6 다음 뜻에 맞는 한자어를 보기에서 찾아 그 번호를 쓰세요.

보기: ①後年 ②前年 ③前後 ④事前

(1) 올해의 다음다음 해 ➡ (①)
(2) 이해의 바로 앞의 해 ➡ (②)

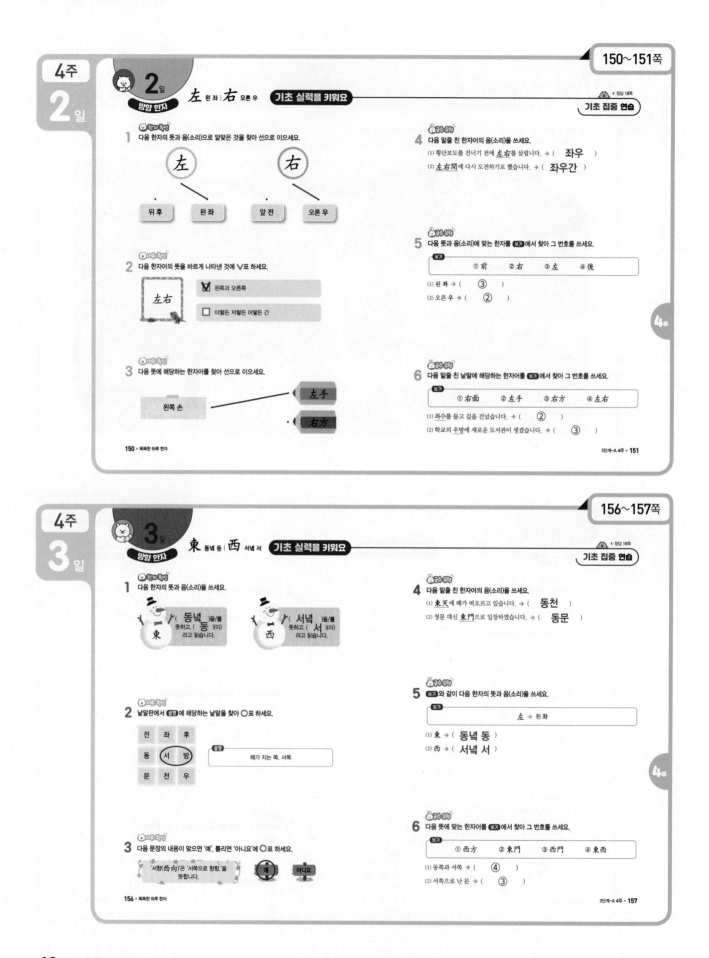

2일 방향 한자 左 왼 좌 | 右 오른 우 **기초 실력을 키워요**

150~151쪽

정답 18쪽

기초 집중 연습

1 다음 한자의 뜻과 음(소리)으로 알맞은 것을 찾아 선으로 이으세요.

左 　 右

뒤 후 　 왼 좌 　 앞 전 　 오른 우

2 다음 한자어의 뜻을 바르게 나타낸 것에 √표 하세요.

左右

☑ 왼쪽과 오른쪽

☐ 이렇든 저렇든 어떻든 간

3 다음 뜻에 해당하는 한자어를 찾아 선으로 이으세요.

왼쪽 손 ─── 左手

右方

4 다음 밑줄 친 한자어의 음(소리)을 쓰세요.

(1) 횡단보도를 건너기 전에 <u>左右</u>를 살핍니다. → (좌우)

(2) <u>左右</u>間에 다시 도전하기로 했습니다. → (좌우간)

5 다음 뜻과 음(소리)에 맞는 한자를 보기에서 찾아 그 번호를 쓰세요.

보기
① 前　② 右　③ 左　④ 後

(1) 왼 좌 → (③)

(2) 오른 우 → (②)

6 다음 밑줄 친 낱말에 해당하는 한자어를 보기에서 찾아 그 번호를 쓰세요.

보기
① 右面　② 左手　③ 右方　④ 左右

(1) <u>좌수</u>를 들고 길을 건넜습니다. → (②)

(2) 학교의 <u>우방</u>에 새로운 도서관이 생겼습니다. → (③)

3일 방향 한자 東 동녘 동 | 西 서녘 서 **기초 실력을 키워요**

156~157쪽

정답 18쪽

기초 집중 연습

1 다음 한자의 뜻과 음(소리)을 쓰세요.

東 (동녘)을/를 뜻하고, (동)(이)라고 읽습니다.

西 (서녘)을/를 뜻하고, (서)(이)라고 읽습니다.

2 낱말판에서 설명에 해당하는 낱말을 찾아 ○표 하세요.

전	좌	후
동	서	방
문	천	우

설명
해가 지는 쪽. 서쪽

3 다음 문장의 내용이 맞으면 '예', 틀리면 '아니요'에 ○표 하세요.

'서향(西向)'은 '서쪽으로 향함.'을 뜻합니다.

예 　 아니요

4 다음 밑줄 친 한자어의 음(소리)을 쓰세요.

(1) <u>東天</u>에 해가 떠오르고 있습니다. → (동천)

(2) 정문 대신 <u>東門</u>으로 입장하였습니다. → (동문)

5 보기와 같이 다음 한자의 뜻과 음(소리)을 쓰세요.

보기
左 → 왼 좌

(1) 東 → (동녘 동)

(2) 西 → (서녘 서)

6 다음 뜻에 맞는 한자어를 보기에서 찾아 그 번호를 쓰세요.

보기
① 西方　② 東門　③ 西門　④ 東西

(1) 동쪽과 서쪽 → (④)

(2) 서쪽으로 난 문 → (③)

4주

4일 방향 한자

4일 南 남녘 남 | 北 북녘 북 달아날 배

기초 실력을 키워요

정답 19쪽

기초 집중 연습

1 다음 뜻과 음(소리)에 해당하는 한자를 찾아 ○표 하세요.

남녘 남

북녘 북/
달아날 배

南 西

東 北

2 다음에서 '북국(北國)'의 뜻을 바르게 설명한 것을 찾아 ○표 하세요.

남쪽에 있는 나라

북쪽에 있는 나라

남쪽과 북쪽

3 그림 속 내용이 맞으면 '예', 틀리면 '아니요'에 ○표 하세요.

'南國'은
'남국'이라고
읽습니다. 예 / 아니요

'南北'은
'남쪽으로 내려
감.'을 뜻합니다. 예 / 아니요

4 다음 밑줄 친 한자어의 음(소리)을 쓰세요.

(1) 저녁 식사로 南道 한정식을 먹었습니다. → (남도)

(2) 할아버지의 고향은 全北입니다. → (전북)

5 다음 밑줄 친 낱말에 해당하는 한자어를 보기 에서 찾아 그 번호를 쓰세요.

보기
① 北國   ② 南北   ③ 南國   ④ 南下

(1) 장마 전선이 남하하기 시작했습니다. → (④)

(2) 제주도에서는 남국의 정취를 느낄 수 있습니다. → (③)

6 다음 한자의 상대 또는 반대되는 한자를 보기 에서 찾아 그 번호를 쓰세요.

보기
① 北   ② 西   ③ 左   ④ 東

● 南 ↔ (①)

162 · 똑똑한 하루 한자

3단계-A 4주 · 163

4주

5일 방향 한자

5일 四 넉 사 | 方 모 방

기초 실력을 키워요

정답 19쪽

기초 집중 연습

1 다음 한자의 뜻과 음(소리)으로 알맞은 것을 찾아 ○표 하세요.

四

석 삼   넉 사

方

모 방   오른 우

2 다음 뜻에 해당하는 한자어를 찾아 선으로 이으세요.

적을 바로 마주하고
있는 지역

아버지 형제자매의 아들딸

前方

四寸

3 다음 문장에 들어갈 말로 어울리는 한자어를 찾아 ○표 하세요.

봄이 되자 (方道 / 四方)에 꽃이
만발하였습니다.

4 다음 밑줄 친 한자어의 음(소리)을 쓰세요.

(1) 문제를 해결하기 위한 方道를 생각해 보았습니다. → (방도)

(2) 여러 地方의 특산품들이 한자리에 모였습니다. → (지방)

5 보기 와 같이 다음 한자의 뜻과 음(소리)을 쓰세요.

보기
南 → 남녘 남

(1) 四 → (넉 사)

(2) 方 → (모 방)

6 다음 뜻에 맞는 한자어를 보기 에서 찾아 그 번호를 쓰세요.

보기
① 四寸   ② 四月   ③ 前方   ④ 四方

(1) 한 해 열두 달 가운데 넷째 달 → (②)

(2) 동, 서, 남, 북 네 방위를 통틀어 이르는 말 → (④)

168 · 똑똑한 하루 한자

3단계-A 4주 · 169

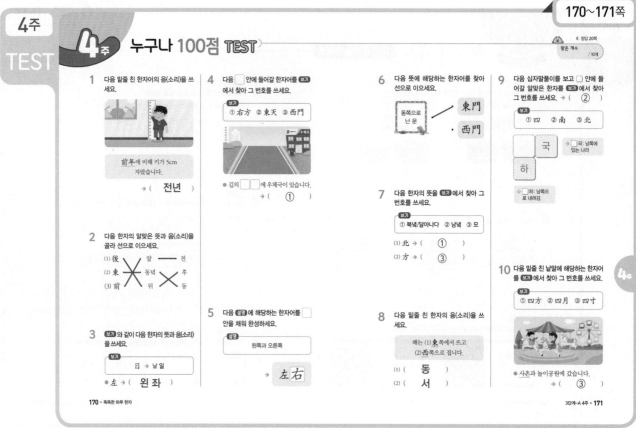

4주 누구나 100점 TEST

1 다음 밑줄 친 한자어의 음(소리)을 쓰세요.

前年에 비해 키가 5cm 자랐습니다.
→ (전년)

2 다음 한자의 알맞은 뜻과 음(소리)을 골라 선으로 이으세요.
(1) 後 — 앞 — 전
(2) 東 ✕ 동녘 ✕ 후
(3) 前 — 뒤 — 동

3 보기 와 같이 다음 한자의 뜻과 음(소리)을 쓰세요.
보기
日 → 날 일
● 左 → (왼 좌)

4 다음 □ 안에 들어갈 한자어를 보기 에서 찾아 그 번호를 쓰세요.
보기
① 右方 ② 東天 ③ 西門
● 길의 □□ 에 우체국이 있습니다.
→ (①)

5 다음 설명 에 해당하는 한자어를 □ 안을 채워 완성하세요.
설명
왼쪽과 오른쪽
→ 左右

6 다음 뜻에 해당하는 한자어를 찾아 선으로 이으세요.
동쪽으로 난 문 — 東門
· 西門

7 다음 한자의 뜻을 보기 에서 찾아 그 번호를 쓰세요.
보기
① 북녘/달아나다 ② 남녘 ③ 모
(1) 北 → (①)
(2) 方 → (③)

8 다음 밑줄 친 한자의 음(소리)을 쓰세요.
해는 (1)東쪽에서 뜨고 (2)西쪽으로 집니다.
(1) (동)
(2) (서)

9 다음 십자말풀이를 보고 □ 안에 들어갈 알맞은 한자를 보기 에서 찾아 그 번호를 쓰세요. → (②)
보기
① 四 ② 南 ③ 北
□국
하
→□국: 남쪽에 있는 나라
→□하: 남쪽으로 내려감.

10 다음 밑줄 친 낱말에 해당하는 한자어를 보기 에서 찾아 그 번호를 쓰세요.
보기
① 四方 ② 四月 ③ 四寸
● 사촌과 놀이공원에 갔습니다.
→ (③)

4주 특강 생각을 키워요 ❶

4주 특강

특강 창의·융합·코딩 생각을 키워요 ❷

정답 21쪽

코딩+한문 다음 조건 에 따라 각 위치의 공을 알맞게 색칠해 보세요.

코딩+한문 그림을 보고, 괄호 안에 들어갈 알맞은 말을 찾아 ○표 해 보세요.

4주 특강

특강 창의·융합·코딩 생각을 키워요 ❸

정답 21쪽

사회+한문 다음은 우주네 동네의 모습을 나타낸 그림입니다. 그림을 보고, 물음에 답해 보세요.

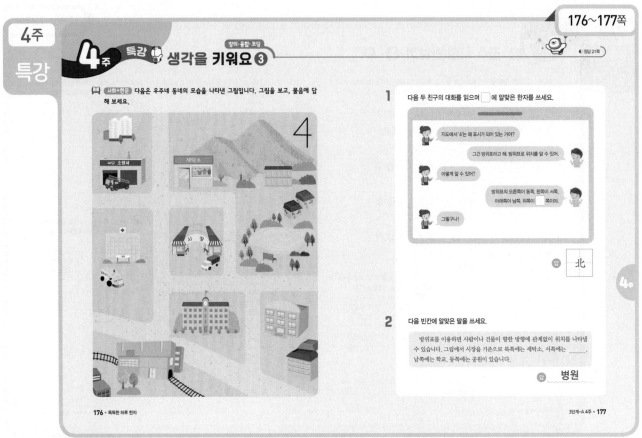

1 다음 두 친구의 대화를 읽으며 □ 에 알맞은 한자를 쓰세요.

답 北

2 다음 빈칸에 알맞은 말을 쓰세요.

방위표를 이용하면 사람이나 건물이 향한 방향에 관계없이 위치를 나타낼 수 있습니다. 그림에서 시장을 기준으로 북쪽에는 세탁소, 서쪽에는 _____, 남쪽에는 학교, 동쪽에는 공원이 있습니다.

답 병원

7급 급수 시험 맛보기 1회

◀ 정답 22쪽

[문제 1~5] 다음 밑줄 친 漢字語한자어의 음(음: 소리)을 쓰세요.

보기
漢字 → 한자

1 산에는 다양한 <u>植物</u>이 살고 있습니다.
(식물)

2 바람 때문에 배가 <u>左右</u>로 흔들립니다.
(좌우)

3 우리는 <u>來日</u>부터 봉사 활동을 시작합니다.
(내일)

4 지리산은 우리나라 <u>名山</u> 중 하나입니다.
(명산)

5 우리는 환경 오염으로부터 <u>自然</u>을 보호해야 합니다.
(자연)

[문제 6~9] 다음 漢字한자의 혜(훈: 뜻)과 음(음: 소리)을 쓰세요.

보기
字 → 글자 자

6 靑 (푸를 청)

7 林 (수풀 림)

8 春 (봄 춘)

9 海 (바다 해)

[문제 10~11] 다음 밑줄 친 漢字語한자어를 보기에서 골라 그 번호를 쓰세요.

보기
① 土木 ② 四方
③ 生命 ④ 秋夕

10 저녁이 되자 <u>사방</u>이 어두워졌습니다.
(②)

11 <u>추석</u>을 맞아 온 가족이 송편을 빚었습니다.
(④)

[문제 12~14] 다음 혜(훈: 뜻)과 음(음: 소리)에 맞는 漢字한자를 보기에서 골라 그 번호를 쓰세요.

보기
① 空 ② 草 ③ 月 ④ 花

12 달 월 (③)

13 빌 공 (①)

14 풀 초 (②)

[문제 15~16] 다음 漢字한자의 상대 또는 반대되는 漢字한자를 보기에서 골라 그 번호를 쓰세요.

보기
① 川 ② 冬 ③ 前 ④ 東

15 (④) ↔ 西

16 (③) ↔ 後

[문제 17~18] 다음 뜻에 맞는 漢字語한자어를 보기에서 찾아 그 번호를 쓰세요.

보기
① 南北 ② 直後
③ 大地 ④ 夏冬

17 여름과 겨울 (④)

18 남쪽과 북쪽 (①)

[문제 19~20] 다음 漢字한자의 진하게 표시된 획은 몇 번째 쓰는지 보기에서 찾아 그 번호를 쓰세요.

보기
① 세 번째 ② 네 번째
③ 다섯 번째 ④ 여섯 번째

19 平 (②)

20 每 (③)

7급 급수 시험 맛보기 2회

◀ 정답 22쪽

[문제 1~5] 다음 밑줄 친 漢字語한자어의 음(음: 소리)을 쓰세요.

보기
漢字 → 한자

1 우리는 <u>每月</u> 봉사 활동을 합니다.
(매월)

2 여름 방학을 맞아 가족과 <u>海水</u>욕장에 놀러 갔습니다.
(해수)

3 그는 독립운동에 <u>平生</u>을 바쳤습니다.
(평생)

4 그녀는 수상 <u>直後</u> 바로 떠났습니다.
(직후)

5 그는 빵을 훔쳤다고 <u>自白</u>했습니다.
(자백)

[문제 6~9] 다음 漢字한자의 혜(훈: 뜻)과 음(음: 소리)을 쓰세요.

보기
字 → 글자 자

6 川 (내 천)

7 命 (목숨 명)

8 七 (일곱 칠)

9 西 (서녘 서)

[문제 10~11] 다음 밑줄 친 漢字語한자어를 보기에서 골라 그 번호를 쓰세요.

보기
① 四月 ② 東門
③ 生花 ④ 江山

10 우리나라에는 아름다운 <u>강산</u>이 많습니다.
(④)

11 그녀는 생화로 꽃병을 꾸몄습니다.
(③)

[문제 12~14] 다음 혜(훈: 뜻)과 음(음: 소리)에 맞는 漢字한자를 보기에서 골라 그 번호를 쓰세요.

보기
① 夏 ② 氣 ③ 然 ④ 草

12 기운 기 (②)

13 그럴 연 (③)

14 여름 하 (①)

[문제 15~16] 다음 漢字한자의 상대 또는 반대되는 漢字한자를 보기에서 찾아 그 번호를 쓰세요.

보기
① 來 ② 南 ③ 右 ④ 植

15 (③) ↔ 左

16 (②) ↔ 北

[문제 17~18] 다음 뜻에 맞는 漢字語한자어를 보기에서 골라 그 번호를 쓰세요.

보기
① 林木 ② 春日
③ 事物 ④ 三冬

17 숲의 나무 (①)

18 봄철의 날 (②)

[문제 19~20] 다음 漢字한자의 진하게 표시된 획은 몇 번째 쓰는지 보기에서 찾아 그 번호를 쓰세요.

보기
① 다섯 번째 ② 여섯 번째
③ 일곱 번째 ④ 여덟 번째

19 地 (①)

20 植 (④)

memo

memo

국가공인 한자자격시험 교재

한자자격시험은 기초 한자와 교과서 한자어를 함께 평가하여 자격증 취득 시 자신감은 물론 사고력과 어휘력, 교과 학습 능력까지 향상됩니다.

씽씽 한자자격시험만의 **100% 합격** 비결!

① 들으면 술술 외워지는 한자 동요 MP3 제공
② 보면 저절로 외워지는 한자 연상 그림 제시
③ 실력별 나만의 공부 계획 가능
④ 최신 기출 및 예상 문제 수록
⑤ 놀면서 공부하는 급수별 한자 카드 제공

• 권장 학년: [8급] 초등 1학년 [7급] 초등 2,3학년
　　　　　　[6급] 초등 4,5학년 [5급] 초등 6학년

국가공인 한자능력검정시험 교재

한자능력검정시험은 올바른 우리말 사용을 위한 급수별 기초 한자를 평가합니다.
자격증 취득 시 자신감은 물론 사고력과 어휘력이 향상됩니다.

• 권장 학년: 초등 1학년　　　• 권장 학년: 초등 2,3학년　　　• 권장 학년: 초등 4,5학년

• 권장 학년: 초등 6학년　　　• 권장 학년: 중학생　　　• 권장 학년: 고등학생

정답은
이안에
있어!

기초 학습능력 강화 프로그램
매일 조금씩 공부력 UP!

국어
예비초~초6

수학
예비초~초6

영어
예비초~초6

봄·여름 가을·겨울
(바·슬·즐)
초1~초2

안전
초1~초2

사회·과학
초3~초6

배움으로 행복한 내일을 꿈꾸는
천재교육 커뮤니티 안내

. . .

교재 안내부터 구매까지 한 번에!
천재교육 홈페이지

천재교육 홈페이지에서는 자사가 발행하는 참고서,
교과서에 대한 소개는 물론 도서 구매도 할 수 있습니다.
회원에게 지급되는 별을 모아 다양한 상품 응모에도
도전해 보세요.

구독, 좋아요는 필수! 핵유용 정보 가득한
천재교육 유튜브 <천재TV>

신간에 대한 자세한 정보가 궁금하세요?
참고서를 어떻게 활용해야 할지 고민인가요?
공부 외 다양한 고민을 해결해 줄 채널이 필요한가요?
학생들에게 꼭 필요한 콘텐츠로 가득한 천재TV로 놀러 오세요!

다양한 교육 꿀팁에 깜짝 이벤트는 덤!
천재교육 인스타그램

천재교육의 새롭고 중요한 소식을 가장 먼저 접하고 싶다면?
천재교육 인스타그램 팔로우가 필수!
누구보다 빠르고 재미있게 천재교육의 소식을 전달합니다.
깜짝 이벤트도 수시로 진행되니 놓치지 마세요!